美丘

石田衣良

角川文庫
15556

目次

プロローグ

美しい丘と書いてミオカ。

それがきみの名前だった。

きみはそれなりに美しかったけれど、実際にはすごい美人というわけではなかった。特別に目を引くほどかわいくもなかった。なによりも性格に問題があったのだ。美しい丘というよりも、嵐の丘という感じだ。

覚えているかな。ぼくは一年間とすこし、きみをじっと見ていた。最初はめずらしい動物でも見るように、なかばからは世界でただひとりの女性として、最後の三ヵ月はきみをきみらしくしていたものが、ゆっくりと壊れていくのを目撃し続けたのだ。きみのことを思いだすたびに、ぼくは今でも泣いたり笑ったり、欲情したりを繰り返している。

ミオカ、きみは雨のなかをずぶ濡《ぬ》れで走った。空に一番近い場所を笑いながら歩いた。夜明けの光りのなか、ちぎれるように踊った。友人のボーイフレンドでも、ほしくなればすぐに寝た。かわいい女の子なら、性の壁など気にせずショーツに手をいれた。男たちと夜の街でなぐりあい、不運な誰かの前歯をたたき折ったこともある。きみは流れ星が燃え尽きるように、命を削って輝いたのだ。

ぼくにだって、今はわかる。きみはなにをしているときでも、必死で自分自身でいようとしただけなのだ。きみは真実を知っていた。命は火のついた導火線で、ためらっている余裕など本来誰にもないはずなのだ。

ミオカ、ぼくの髪は今でもきみにいわれたように真っ赤なままだ。左胸、心臓のうえには紺色の機械彫りで、おおきくMの頭文字をいれてある。ぼくの初めてのタトゥだ。そのしたには、きみの生まれた年と死んだ年も刻んである。

わかるかな。ぼくの胸がきみの墓なのだ。この心臓が打ち続ける限り、きみはぼくの胸で眠るといい。ぼくは世界を旅して、きみにたくさんの景色を見せてあげよう。おいしいものをたくさんたべて、きみにその味をわけてあげよう。おしゃれだってうんとして、毎年新しいモードをきみに見せてあげよう。今はできないけれど、いつか恋をしたら、男の胸の痛みとときめきを教えてあげよう。

ミオカ、これからはすべてをぼくたちふたりでするのだ。ぼくよりずっと濃厚だったはずのきみの人生まで生きるのは、ちょっとむずかしいかもしれない。けれど、ぼくはどこまでも生きる。最後の心臓のひと打ちがとまるまで、力を尽くして生きる。

それがきみといっしょにすごした十三ヵ月の結論だ。

これからぼくがする話は、きみが依頼したとおり、峰岸《みねぎし》美丘専門のワトソン役からの報告である。おかしなところがあったら、笑ってほしい。いつでもぼくの心は濡れている。誰かに笑ってもらったほうが、ずっと気が楽だ。

ミオカ、きみと会ったのは、あたたかな十一月の月曜日、穏やかな空が東京の街のうえに青い板のように広がる午後だった。

1

明知《めいち》大学は青山《あおやま》通り沿いにあるマンモス校だ。校舎は二十二階建て。ぼくはなぜかいつもいっしょに行動していたサボリ仲間と屋上にいた。最近の流行なのだろうか。高層ビルの屋上の中心には、芝が植えられた広い緑化スペースがあった。神宮《じんぐう》の森も、赤坂《あかさか》御所も遥《はる》か足元で秋の終わりの乾いた緑に沈んでいる。北村洋次《きたむらようじ》がぼくのとなりで寝そべっていう。

「気もちいいな、こういうの小春日和っていうんだろ」

福島県出身の洋次は、大学にはいって一年半してもまだなまりが抜けなかった。センスはあまりよくないが、値段だけは張るファッションである。家が代々造り酒屋なのだ。その日のグレイのセーターも、ただのウールではなくカシミアのはずだ。

「違うだろ。小春日和ってのは、冬の終わりのあったかい日のことをいうんだったじゃん」

笠木邦彦《かさぎくにひこ》は横浜の出身。言葉になまりはないが、逆に重みもない。無理になんにでも「じゃん」をつけるのはやめてほしい。しかも、横浜では「じゃん」は過去形にしか使用しないなどと、わけのわからないことをいう。おしゃれなナンパ師の役をやるなら、ぼくたち三人のなかで一番似あいだろう。ふたりは日なたぼっこをするアザラシのように、そろって顔をあげてぼくのほうを見た。

「いや、洋次のいうとおりだ。小春日和は十一月のあたたかな陽気のことだよ」

たいていの問題は、最後にぼくのところにまわってくる。ぼくは東京生まれの東京育ち。おまけに本好き。大学では圧倒的な少数派で、なぜかふたりからはものしりだとかん違いされていた。洋次はいう。

「やっぱり、太一《たいち》だな。おまえ、なんでもっといい大学いかなかったの。明知はまあまあだけど、偏差値だって抜群ってわけじゃないよな」

ぼくは首を横に振った。青山通りの騒音もさすがに二十階以上までは届かない。芝のうえを吹き寄せた穏やかな風が、顔をなでていく。

「大学とか偏差値とか、興味ないんだ。ぼくは好きな本だけ読めれば、どこの学校にいってもよかった。受験勉強ってしなかったから」

邦彦はかたひじをついて上体をあげた。

「ほんとかよ。おれなんか、ここにはいるためにめちゃくちゃ予備校で絞られたじゃんか」

洋次はおかしなイントネーションでゆったりという。

「ぼくも太一に近いな。東京都心にある大学ならどこでもよかったから。どうせ、何年か働いたら、あとは親父の酒蔵継ぐだけだから」

「いいよな、おまえは将来のことなにも考えなくていいんだから。おれなんて、卒業してもなにしていいか、わかんないよ」

邦彦が芝のうえに頭を落とした。ぼくは笑っていった。

「でも、クニだって、ほかの学生みたいに講義にでないじゃないか」

「まあな、だって学校の授業なんてつまらないじゃん。なんか、どひゃーっておもしろいことないかな。いい女が急に裸であらわれるとかさ」

洋次は唇の形だけで、ぼくにいう。

(バカじゃないの)

明知大学の学生のほとんどは、最近の大学生と変わらなかった。きちんと講義に出席して、単位と優を確保し、できることなら資格なんかも取得して、就職難に備えたい。おとなしくまじめな学生が増えているのだ。

ぼくたち三人は、その流れからはずれてしまっていた。洋次は別に就職の悩みはなく、東京で遊ぶのが目的。邦彦は受験勉強でこりごりして、大学ではナンパにすごしたい。ぼくは公教育には、ずいぶんまえに絶望しているので、邪魔されずに四年間好きな本でも読んで暮らしたい。

目的も性格もばらばらだったが、よりよい就職先を見つけるための大学というものへの信頼がないところは共通していた。要するにただ周囲の学生から浮いていただけなのだ。ぼくは豊かなマンモス大学のルーフガーデンを見わたした。今は授業時間中なので、ベンチにも芝のうえにもまばらに学生がいるだけだ。

そのとき、目の隅におかしな動きが見えた。ブーツカットのジーンズに革のライダースを着た小柄な女の子だった。髪は短めで、毛先はワックスでつんつんと外側に跳ねている。その子が白いスチールのフェンスに手をかけて、のぼり始めたのだ。

「おい、あれ」

まわりにいる学生のほとんどが、まだ気づかないようだった。どうせつぎの講義の予習でもしているのだろう。彼女がのぼるフェンスには、ぼくたちの寝そべる芝が一番近い。邦彦が立ちあがると同時に叫んでいた。

「やめろ、自殺なんかするな」

洋次と邦彦とぼく、大学から浮いた三人は、ビーチフラッグスの決勝戦のように背中に枯れ芝をつけたまま猛然とフェンスめがけてダッシュした。彼女はなにごともなかったように、するすると高さ二メートルはある転落防止用のフェンスをのぼっていく。バスケットシューズの片足をかけて、白いフェンスのてっぺんから、不思議そうにぼくたちを振り返った。薄茶色の猫の目のような明るい瞳《ひとみ》。ミルクを煮詰めたような白い頬には、そばかすがすこし。鼻は生意気そうにとがって、すこしうえをむいている。その顔はすこしもきれいなんかじゃなかったけれど、見た瞬間に切なさを相手に伝える力があった。

ぼくはその目にむかって叫んだ。

「やめろ、こんなところで死ぬなんて、迷惑だ」

彼女はそのままフェンスのうえから、したに飛びおりた。といっても間違えないでほしい。ビルの端まではフェンスから、さらに一メートル半ほどある。彼女はひざほどの高さがある白いコンクリートの縁にひょいと飛びのった。フェンスをつかんだ洋次が、その場にへたりこんだ。

「あー、気もち悪い。ぼくは高いところダメなんだ」

青い顔をして、フェンスのむこうに広がる東京の冬空から目をそらした。彼女は両手を広げて、バスケットシューズで地上二十二階の空を歩いている。フェンスのこちら側にいるぼくたちを哀れむように笑った。その笑顔がぼくの心に火をつけた。

「おいおい、なにする気だよ」

邦彦があきれてぼくにいう。ぼくはそのときすでにフェンスのなかほどまで手をかけていた。両手を交互につかい、二メートル以上あるフェンスを一気にのぼっていく。そこから見る神宮の景色は、なんだか球形にゆがんで見えたが、ぼくは気にしなかった。

ぼくはフェンスのうえからコンクリートに飛びおりた。両手をついて着地する。目のまえに革のコンバースが見えた。顔をあげると、まあまあじゃないのという顔で、女の子が笑っていた。とても自殺なんかするようには見えない顔だ。

遠くでホイッスルが鳴っていた。誰かが駆けてくる足音もする。ようやくルーフガーデンのむこう側にいたガードマンも気づいたのだろう。きみはいった。

「わたし、峰岸美丘、文学部二年。あなたは」

ぼくは二十二階の端で立ちあがった。フェンスがないと空に吸いこまれそうだが、なんとか足を踏ん張って耐える。

「橋本《はしもと》太一、経済学部二年。自殺なんかするつもりは、ないんだよね」

きみはあっさりうなずいた。一段高いステップのうえからなので、ぼくは自然に見あげる形になる。

「じゃあ、どうしてフェンスなんか越えたんだ」

きみは両手を広げる。サンドベージュのライダースジャケットの袖《そで》が、雲をつかむように開いた。

「だって、どうせならもっと空の近くに寄りたいじゃない。フェンスで守られたところより、もっときれいな空が見える場所がある。そう思ったら、じっとしていられなくて。もともとわたし、高いところ好きだから」

別にわかってもらわなくていいけれどという顔で、きみは幅五十センチ足らずの二十二階の縁を、両手を広げて歩きだす。数メートル歩いて、ぼくを振りむくといった。

「橋本くんも、きたら」

ぼくは震える足で一段高いステップにのぼった。遥《はる》か下方には、精巧な模型のような自動車と建物の姿。地平線は高層ビルで、ぎざぎざに刻まれている。ぼくは足元を見ずに、きみのちいさな背中だけを見て歩きだした。歩幅はほんの二十センチ。きみはビルの角までいくと、こちらをくるりと振りむいた。

「ねえ、フェンスをひとつ越えるだけで、世界がぜんぜん変わるでしょう」

ガードマンの叫び声がした。

「そこのふたり、ふざけていないで、おりなさい」

きみは笑って、ガードマンに目をやった。

「どっち側におりたらいいですか」

紺色の制服、制帽姿のガードマンが、顔を赤くした。

「ふざけるな。こっちに決まってる」

「はいはい」

きみは横断歩道の白線でも越えるようにぴょんと跳んだ。両手を広げ、ひざを軽く曲げたまま、青い空に浮く。ぼくはなんだか急に世界のすべてを笑い飛ばしたくなった。ジージャンの両手を広げ、同じように跳ぶ。きみといっしょに空に浮かべるだろうかと思いな

ふざけた顔
がら。
ぼくたちは笑ってフェンスをよじのぼり、ガードマンにたっぷりとしかられた。ふざけているだけで、別に自殺の意図はなかったとわかると、まだ若いガードマンはあきれた顔で、担当教授に連絡をいれることもなく、ぼくたちを解放してくれた。

2

きみと二度目に会ったのは、同じ週のランチタイムのことだった。曜日は忘れてしまった。ただ最初のきっかけは鮮明に覚えている。アルミのトレイが床に落ちる音なのだ。忘れられるはずがない。

たっぷりと二百人ははいる学生食堂兼カフェテリアだった。昼どきの騒音は、渋谷《しぶや》の駅まえ交差点のようだったけれど、床にたたきつけられたトレイの金属音で、一瞬にしてあたりが静まり返った。誰もが音のするほうに顔をむけている。なんだかメッカに巡礼するムスリムのようだ。

きみはひとりで四人がけの丸テーブルに座っていた。きみのまえでは腕を胸のまえで組んだ女の子が四人、そのうしろに泣きそうに顔を赤くした女の子がひとり。五対一のもめごとのようだった。

リーダー格の背の高い女の子が叫んだ。

「あんた、なにさまのつもりよ」

きみは平然とミネストローネのスプーンを口に運んでいる。B定食のカルボナーラにつくセットのスープだ。この学食のなんとか平均点を超える数すくないメニューである。きみが黙っていたせいで、相手はさらに激したようだった。

「なにか、いいなさいよ。人の男に手をだすなんて、あんた、最低」

リーダーがそう吠《ほ》えると、まわりにいる女の子が口々にきみをののしりだした。平和だった学食が波打つようにざわついてくる。

「サトミはあんたの友達だったんでしょう。なんで、友達の男に手をだすわけ」

「あんた、男だったら誰でもいいんじゃないの」

何人かの男子学生が口笛を吹いてはやし立てた。

「いいぞ、やれやれ。どうせならどっちかがギブするまでやれ」

ぼくはすこし離れたところから、騒がしくなったサルの檻《おり》を眺めていた。二十二階の空を笑いながら歩いたきみが、この状況をどんなふうに切り抜けるのか、ちょっといじわるな興味があったのだ。洋次がちいさな声でいった。

「だいじょうぶか、あれ。あの子、このまえフェンスを越えた子だよね」

ぼくは黙ってうなずいた。邦彦もいう。

「あのときはガードマンにしかられても、へっちゃらって顔してたけど、今度はきついだろ。だって学校中に知られちゃうもんな。誰か友達の男を寝とったってさ」

ぼくたちといっしょにランチをたべていた五島麻理《ごとうまり》が眉《まゆ》をひそめていた。麻理は長い黒髪の日本美人といってもいいだろう。コンプレックスはちいさな胸とやや太めの脚。でも、ぼくにいわせれば長さは十分以上だし、セクシーだと思うのだけど。麻理はいう。

「あのおおきな女の子、ソフトボール部のエースじゃないかな。確か関東大会で優勝したピッチャーだったと思うけど。ねえ、直美」

佐々木直美《ささきなおみ》はちいさくて、金髪のショートヘアで泣き虫。もうこの場面の緊張に耐えられずに泣きそうになっている。

「あのサトミっていう子のほう知ってる。彼氏は法学部の三年生で、武内《たけうち》さんっていう人」

邦彦はにやりと笑っていった。

「そいつっていい男なのか」

直美は学食の座り心地の悪い椅子のうえでちいさくなった。

「ぜんぜん。わたしのタイプじゃなかったけど」

背伸びしてもめごとの現場を見ながら、洋次がいった。

「あんなふうに女同士で争奪戦なんて、ラッキーな男だな」

じっと見つめていると、きみはスプーンをおいて、ゆっくりと席を立った。頭半分背の高いリーダーを見あげる。明知の青いジャージを着た横幅は、きみのほぼ倍。きみの声は冷静だったが、そのせいで逆に興奮状態の学食にはよく響いた。

「わたしはあの男とHがしたいなと思ったから、Hしただけ。むこうもよろこんでたよ。サトミには悪いけど、あんな男を好きになったほうにも、責任あるんじゃない。ちょっとスキを見せれば、すぐに別な女にのりたがる。わたしは一回でいいやって感じ。ほんとにへたっぴだったし」

邦彦が額に手をあてて、アイタタといった。リーダーの女の子の顔色が変わった。ごつい手が、目にとまらぬほどの速さで動く。てのひらがきみの頬にあたると、なにかが破裂するような音が鳴った。

つぎの瞬間、まったくためらいもなく、きみの右手も動いていた。腕のいいドラマーのスネアショットのように破裂音がリズミカルに続く。きみは飛びあがるようにピッチャーの頬を打った。

リーダーは背後にいる女の子の手まえ、引くことはできないようだった。また右手を振りまわす。きみは両足をしっかり踏ん張って、豪腕ピッチャーの打撃に耐えた。上半身をねじるように右手に反動をつけて、またきみは正面の相手の頬を打つ。二発ずつ平手打ちを交わして、リーダーときみの頬は血の色で内側から染めあげられた。

ピッチャーは肩で荒い息をしていたが、きみは平然とした顔だった。死んでも相手に弱みを見せない。そう固く心に決めているようだ。ぼくは目のまえのテーブルにある自分のB定食のトレイを顔の高さまでもちあげた。

勢いをつけて床にたたきつける。食堂を埋めた学生の目が、ぼくのほうに集中する。この闘いの始まりを告げた先ほどのゴングと同じ音なのだ。誰だって嫌でも注目するだろう。ぼくはみんなに見られながら、ゆっくりと丸テーブルのあいだを縫って、きみに近づいていった。

きみと五人の女の子のあいだに立つ。双方に敵意はないのだという全開の笑顔をつくった。

「まあまあ、そのくらいにしておかないか。学食のみんなが見てるし、そこにいる彼女にもっと恥をかかせることになる」

ぼくは視線で、静かに泣いている寝とられ女学生を示した。それからリーダーのソフトボール部に声をさげていう。

「この峰岸美丘さんて、いくらいってもきかない人だから。宇宙人だと思えばいいんじゃないかな。犬にかまれたんじゃなくて、宇宙人に拉致《らち》されたとでも思って、ここは終わりにしたほうがいいよ。きみが友達思いなのは、みんなよくわかったし、峰岸さんが友人の男に手をだしたことも、みんなわかった」

リーダーの女の子はものすごい表情で、ぼくをにらんだ。ぼくはきっと平手打ちをくらうと思って待機したが、グローブのようなてのひらは飛んでこなかった。そのときサトミと呼ばれた子が、声をあげて泣きだしたからである。

うしろに控えていた子たちがリーダーの背中から離れて、サトミをかこんだ。女性ピッチャーは丸い頬をふくらませていう。声はゲームセットを宣告するアンパイアのようにおおきい。

「人の男に手をだすなんて、あんたは最低の女だよ、このインラン」

その言葉ひとつで、あたりは風のない日の湖のように静かになった。ぼくはジョイトイとかいう名前が続く女性タレントがいたよなあとぼんやり考えていた。恐るおそるきみの顔を見ると、しぶとい笑いが顔一面に貼りついている。なにがあっても、わたしは笑うんだ。そう決めた笑顔のようだ。ぼくはきみのしぶとさに、少々あきれていた。

泣き声をあげるサトミを周囲の視線から守るように、五人の襲撃部隊はカフェテリアから退散していった。防火扉が開いたままの戸口からその姿が消えると、ようやく室内に昼どきのざわめきがもどってくる。

ぼくはきみだけにきこえるようにいった。

「すごかったね、峰岸さん」

きみは鋼《はがね》の笑顔を崩さない。

「なにが、橋本くん」

「だって、このまえは屋上から落ちそうになって、今回は女の子が見る最大の悪夢みたいな目にあった。たくさんの人のまえでさ」

きみの笑顔はますますおおきくなった。笑うとそばかすって横に広がるんだ。ぼくはおかしなところに感心する。

「わたしはこのくらいじゃ悪夢なんて、思わないもん」

ぼくはなんだかきみに腹が立ってきた。

「あのサトミとかいう子のボーイフレンドに手をだしたのは、ほんとうなのか」

きみはいたずらっぽく片方の頬で笑ってみせた。見習い魔女の笑いだ。

「もちろん。ほんとにへたっぴだった。最近いない素朴なタイプだから、純なHをするかと思ったんだけど、やっぱりダメだね」

きみはウインクして、ぼくを見あげる。

「やっぱりさ、橋本くんもAVばかり見て、研究してるの」

今度はほんとうにあきれて、ぼくはきみを見る。声がすこしおおきくなってしまった。

「あのさ、屋上と学食、ぼくは二回、峰岸さんのピンチを救ったと思うんだけど、それでもなんのお礼もないのか」

　ぼくはうしろを振り返った。洋次は心配そうに、邦彦はにやにやと笑いながら、麻理は超然と冷静に、直美はまだ泣きそうな顔で、ぼくを見つめ返してくる。きみは身体の線をぴたりとなぞるどこかの高級ブランドのトラックスーツを着て、やけにうわむきの胸を張った。

「わたしがいつ助けてくれって、橋本くんに頼んだの。あなたがしたのは、全部余計なお世話。あなたの助けがなくても、わたしはちゃんと切り抜けたし、これからだってあなたのおせっかいなんかいらないの。わかる、正義の味方さん」

　きみはそういうとぼくの目のまえで中指を立てた。FUCK YOU! 万国共通のハンドサインだ。ぼくたちは悪い言葉ばかりすぐに覚えたがる。麻理が背中越しにいった。

「そうなの。でも、ずいぶん追い詰められてたようだけど。峰岸さん、肩にすごく力がはいっていたよ。足だって震えていたし。ここは素直に太一くんにありがとうって、いっちゃえば」

　きみはぼくを見てから、うしろにいる麻理を見た。なにか悪巧みでも思いついたように、邪悪な笑顔をつくる。

「そうだね、じゃあ、ちょっとお礼をしようかな」

　そういうと同時に、きみは腕を広げて飛んだ。ぼくの首に手をまわして、キスをしようとする。ぼくはあわてて顔をそむけた。頰にあたった唇は濡《ぬ》れた音を立てる。きみはぼくの首を抱いたまま、麻理に流し目を送った。

「どう、こんなお礼のほうが、太一くんはうれしいんじゃないかな」

邦彦が叫んだ。

「そんなお礼なら、おれにもしてくれよ」

きみは笑っていった。

「このつぎに気がむいたらね」

直美は床に散らばったトレイの残骸《ざんがい》を片づけ始めた。顔をあげていう。

「ねえ、峰岸さん、お昼まだだよね。わたしたちといっしょにたべない。なんだか、みんなより先にカフェテリアでるの嫌でしょう」

麻理はなにそれという顔で、昼食の途中のテーブルにもどっていった。

「いいかげん離してくれよ」

ぼくはきみの意外と細い腕を解き、麻理のあとを追った。邦彦ときみはあとからついてくる。ぼくはきみの視線を背中に感じながら、なにかが始まったのだと思っていた。とてもいいなにか、あるいはとても悪いなにかが。

でも、ぼくの考えが甘かったのだ。そのあとにやってきたのは、どちらか一方ではなく、両方いっしょだったのだから。最悪と最高。きみがぼくたちのグループに連れてきたのは、両極端の激しさで、ぼくたちはその嵐に振りまわされることになる。なにせ、きみは美しい丘という名前のついた嵐そのものだったのだ。

3

カフェテリアの対決以来、きみは狭い大学の有名人になった。ほしくなれば誰とでもする女、あるいは友達のボーイフレンドを寝とる女として、悪名高くなったのだ。きみがどこかの階段教室にむかう途中、廊下のものかげでひそひそと声がする。

「あれが二年の峰岸美丘」

「ああ、あれがあの子ね」

きみはただのあの子として、どこにいっても通用するようになった。そのあとに続くのは冷笑か、男子学生の誰かの「じゃあ、おれもお願いしようかな」というお決まりの台詞《せりふ》だった。

きみはそんなとき昂然《こうぜん》と胸を張り、廊下のまんなかをまっすぐに歩いた。胸には英文学のテキスト、唇には微笑がある。どんなときでも自分の運命を笑うんだという美丘流の微笑。ぼくはいつかきみにきいたことがある。

「どうして、きみはそんなに強いんだ」

すこしうわむきの鼻をさらにそらして、きみはいった。

「みんなよりすこしだけ、わたしのほうが目を覚ましているから」

大学からすこし離れた表参道《おもてさんどう》のオープンカフェだった。十二月にはいってさすがに風は冷えこんでいる。ぼくたちは店にブランケットを借りて、ひざにのせていた。目を閉じると、今でもあの紺と白のアーガイル模様が浮かぶようだ。

「どういう意味」

「簡単だよ。永遠に生きられるなんてかん違いして、今日を無駄にしないって意味」

ぼくは丼《どんぶり》ほどあるカップからカフェオレをのんだ。なぜフランス人はこんなにもちにくい容器をつかうのだろう。

「そんなことできるはずがない。ブッダの昔から、みんなそんなことをいってきた。今日を生涯最後の一日だと思って生きろなんてさ。でも、実際にそれができた人間なんて、ぼくの知る限りゼロだ」

きみはすっかり葉を落とした表参道のケヤキ並木を見あげた。明るい茶色の目にはぼくを黙らせる奇妙な穏やかさがある。冬の空からなにか秘密の信号を受信するように、2Hの鉛筆で描いた枝先が無数に伸びていた。ブランドビルのすきまにどこまでも高くのぞく青く冷えた空。

「そういう哲学みたいなことといわないでくれる。わたしはただ生きるために、生きてる。

太一くんみたいに、くよくよ考えるために生きてるわけじゃないもの」

きみはそばかすの浮いた頬をゆがめてそういった。あとでわかることだが、そんな顔をしたときはなにか悪くて楽しいことを思いついた証拠なのだ。

「大学の女の子たちって、どうしてセックスくらいのことで、ああキャーキャー騒ぐのかな。わたしには理解できないよ。やりたいなら、自分だってやればいいのに」

ぼくは居心地が悪くなって、ブランケットをかけ直した。

「欲求不満なんだろ」

きみは手をあげて、声をひそめる。

「ねえ、ちょっとちょっと」

ぼくはテーブルに身体をのりだした。耳元できみは囁《ささや》く。

「太一くんにはセックスフレンドいないの」

周囲を見まわした。誰もぼくたちがそんなことを話しているとは思わないだろう。むかいのテーブルでは外国人のカップルが、厳しい表情でうなずきあっている。

「いないよ。そんなのいるやつは、ほんのちょっとだ」

きみはにやりと笑う。

「そう、じゃあ、いつもひとりでしてるんだ。本ばかり読んでると、インポになるよ」

「あのね……」

急にうしろから肩をたたかれた。きみの言葉をきかれたかと思い、ぼくはあわてて振り返った。洋次と邦彦の男ふたり、背後には麻理と直美が立っていた。麻理はにっこりと礼儀ただしくぼくに会釈した。育ちがいいのだ。邦彦はいつものナンパな口調だ。大災害や事故について話しても、天気予報のように軽くきこえてしまう調子である。

「よう、おふたりさん、なにひそひそ話してるんだよ」

「誰が、こんなのと秘密の話をするんだよ」

洋次は気をきかせてとなりのテーブルを寄せた。邦彦にいう。

「椅子を運んでよ。今日はこれから、パーティの相談だろ」

そうなのだ。ぼくたちのグループは、それほどルックスに恵まれていないわけでもないのに、なぜか恋人がいないやつばかりだった。二十歳にして、さびしいひとり身。予定もないので、クリスマスイブにはみんなで集まってホームパーティを開くことになっていた。

「そんなに大事な話に、わたしも混ぜてくれるんだ」

きみはそういって、またおかしな笑いを見せた。ぼくは嫌な予感がしたけれど、残る四人のてまえ黙っていた。きみはあの事件以来、ぼくたちになじんで、いつのまにかグループの準構成員のようになっていた。

嵐の予感がするクリスマスイブ。それはぼくときみがすごした最後から二番目のイブだった。

4

ツイードのジャケットを着た麻理が、ブーツの足先を組んでブランケットをのせた。背が高く、ひざしたが長いので、タン革のロングブーツがよく似あっている。

「うちのママに話したら、イブの夜はだいじょうぶだって。せっかくだから、みんなでうちにきて」

邦彦が感心したようにいう。

「だけどさ、イブの夜リビングをおれたち五人が占拠して迷惑じゃないのか」

麻理はきれいな黒髪の縦ロールを揺らしてうなずいた。

「うん、パーティはリビングとは別な部屋でするから」

「やっぱり金もちは違うな。おれんちなんか、大人が六人も集まれる場所なんて、リビング以外にはないよ。おまえんちはどうだ」

邦彦はぼくに話を振った。ぼくの家は東京郊外の分譲地に建つ一軒家だ。セックス・ピストルズがぶっ殺せと歌った退屈な中流階級。

「うちも特別なゲストルームなんてない。だけど、洋次のとこなら違うだろ」

洋次の家は福島県で代々続く酒蔵だ。さぞ立派な客間があることだろう。洋次は関心なさそうにいった。

「まあね。四十人くらいで酒盛りできる部屋があるけど、日本間だから冬は寒いだけだ。掃除もたいへんだし、いいことなんてなにもない」

「おれも広間の掃除が面倒だっていってみたいよ」

直美は邦彦の言葉に反応せずに、ちいさな手帳を開いた。鮮やかなターコイズブルーの革製だ。うちのメンバーでは、彼女だけがきちんと話を記録している。明るい金髪の書記長がいった。

「ねえ、今年もプレゼント交換するんでしょう。去年は上限が五千円までだったけど、今年もそれでいいかな」

邦彦がはいはいと手をあげた。

「今年も同じでいいよ。おれ、金ないもん。でも、よかったよな」

ぼくは能天気な友人を横目で見た。どうせなにか間の抜けたことをいうはずだ。

「なにが」

「だって、ほら、今年は三対三になっただろ。去年みたいにぐるぐるまわさなくても、男性陣は女性陣のプレゼントから選べばいい」

洋次がおっとりと調子をあわせた。

「確かに、いいかもしれない。そうなると、今年のプレゼントは女の子むけってことになるんだね」

いつも澄ましている麻理まで、明るく顔を崩していた。

「そうね、ユニセックスなものって、選んでいてもなんだか張りあいがないもの。美丘さんがはいって、ちょうどよかったのかもしれない」

きみはにっこりと顔全体で笑った。ぼくはすこし驚いてしまう。気づいていたのだろうか。そんなときのきみは恐ろしく無邪気に見えるのだ。

「じゃあ、わたしがここにいてもよかったんだ。なんだか、うれしい」

ぼくはいった。

「美丘でも、やっぱりかげ口とか気になるの」

きみははっきりと意志の力で平然とした顔をつくった。

「無関係な人間がなにをいっても、気にはならないよ。でも、大学のなかに居場所があっていうのは、悪い気分じゃない。ただ、それだけ」

麻理が微笑んで、ぼくを見た。きみにゆっくりと視線を移していう。

「あなたが強いのは、わかった。でも、わたしたちといるときは、無理しなくてもいいから。ここにはあなたの敵はいないよ。あなたはそのままで、つくらなくても素敵だと思うけど」

さすがに麻理だった。育ちがいいだけでなく、ときどき核心をついたひと言をいうのだ。表参道のカフェの一角がしんと静かになった。ぼくたちは黙って、きみにやわらかな同意のサインを送る。きみはしばらく驚いたように麻理を見てからいう。

「びっくりした。そんなこといわれたら、わたし、麻理さん好きになっちゃうよ」

邦彦が混ぜ返した。

「なんだよ、ミオカってレズっ気あるのか」

きみはにやりと笑って、ぼくを見る。

「愛に男とか女とかあるのかな。わたしはいい人なら、性別なんて気にしないよ」

「おー、バイセクシュアル宣言だよ。すげーな」

直美と洋次がびっくりして、きみを見つめていた。誰かを驚かせるのが好きなきみのことだ。得意そうな顔で、ふたりにうなずき返す。ぼくは麻理の顔を見た。かすかに頬を赤くして、目をそらしている。普通の女子学生には厳しすぎる冗談のようだった。ぼくはその場の空気を変えようとしていった。

「ミオカが誰を好きでもいいよ。急に襲ったりしなければね。それよりパーティの相談を始めよう」

5

イブの午後はあいにくの曇り空だった。夕方にそれぞれの講義を終えたぼくたちは、明知大学のキャンパスにある教会に集まることになった。誰ひとりクリスチャンはいないけれど、やはりクリスマスの教会には特別な雰囲気がある。

ここではよく卒業生のカップルが結婚式をあげたりするのだ。うちのキャンパスにある数すくないロマンススポットというわけ。渋谷のデパートのように過剰な装飾はないけれど、祭壇に飾られたたくさんのろうそくの白い炎だけで、あたりの雰囲気は静かに華やいでいた。

いつものように講義をさぼって、カフェテリアから直行したぼくが最初の待ち人だった。こつこつとハイヒールを石の床に鳴らして、つぎにやってきたのは麻理である。白いタイトスカートのスーツ。靴も誰も歩いていない雪道のような白さ。きっと新品なのだろう。ぼくに気づくといった。

「今年はなんだか、パーティ楽しみね」

麻理の手には銀色のフォイルがさげられていた。赤いリボンが口を閉じている。

「今回はミオカがはいったから、先が読めないよ。それ、男もののプレゼント?」

「うん、誰にいくのかわからなくても、男の人にプレゼントを買うのって楽しい。イメージのなかでは、太一くんにあうものを探したんだけど」

お嬢さまにそんなことをいわれるのは、とてもうれしかった。真冬の寒い日でも、身体のなかに火が灯《とも》るような気がする。言葉は誰かにもらう一番のエネルギーだ。

「待たせたな」

邦彦が黒い革のジャケットに真っ赤なタイであらわれた。ぞくぞくとパーティ用の盛装をしたメンバーが続いている。洋次は紺のベルベットのスーツ。きっとラルフ・ローレンかどこかの高級品だろう。直美は深緑のケープで、森の妖精《ようせい》のよう。そして、きみは黒革に銀のスパイクが鋭くはえたパンクなライダースだった。スカートはお尻《しり》が見えそうなくらいのマイクロミニのタータンチェック。正直いって、三人の女性陣のなかで一番ぼくの胸が躍ったのは、くやしいけれどきみだった。

六人全員がそろったところで、礼拝室のなかにはいった。祭壇で揺れるろうそく、古い木の家具のにおい。どこか遠くでJ・S・バッハのクリスマスオラトリオの最後の曲がかかっていた。薄暗い祭壇のまえに、ぼくたちは並んで立った。こんなふうに外国の神さまに祈りをささげることは悪くないことだと思う。世界中のキリスト教徒とイスラム教徒が、おたがいの神さまに気軽に祈れたら、地球はどれほど静かになることか。

黙禱する五人から離れて、きみはひとり礼拝室の隅でそっぽをむいていた。ぼくはちいさな声でいった。

「どうしたの、ミオカ。お祈りしないのか」

暗がりに目をやったまま、ミニスカートのきみはいう。

「わたしはどんな神さまも信じない。それにこの音楽、ドイツ製でしょ。わたしは、ドイツが世界で一番嫌いなんだよね。アメリカも爆撃するなら、中東じゃなくてドイツにすればいいのに」

それほどまでにどこかの国を嫌うのは、日本人にはめずらしいことだった。どんな理由があるのだろうか。ぼくはかすかに違和感をもった。邦彦が肩をすくめていう。

「おーこわ、ミオカはドイツ男にこっぴどく振られたんじゃないか。やっぱり、恋の恨みって怖いよな」

きみは鼻を鳴らして、礼拝室を大股《おおまた》ででていった。ぼくたちもあとを追う。キャンパスを離れ、クリスマスイブの街にでるのだ。それは毎年繰り返しているはずなのに、奇妙に胸が騒ぐ瞬間だった。

ぼくたちは手に手にプレゼントをさげて、青山通りをじゃれながら歩いた。誰かのつまらない冗談に、自分でもばからしくなるほどの声をあげて笑ったりする。このあたりはしやれたビルばかりの街だ。赤坂御所の上空で厚い雲が切れて、透明なカーテンのように日ざしが漏れていた。ぼくはいう。

「ああいう雲の切れ間から落ちる放射状の光りのことを、外国ではヤコブのはしごっていうんだよね」

邦彦がへえーといって、つけくわえる。

「また太一の得意な無駄な豆知識だよ。そういうものしりで女の子をくどくなんて、おやじくさくないか、おまえ」

そのとき怖いくらい真剣な目で、きみがぼくを見ているのに気づいた。ぼくは無神経に続ける。

「それで、伝説ではあのはしごをのぼると天国にいけるらしい」

きみは外苑《がいえん》東通りの交差点で立ちどまり、空を見た。冬の短い夕焼けだった。雲も灰色がかったバラ色、そのすきまからこぼれる光りはピンクシャンパンのように澄んでいる。麻理は白いスーツを夕日に染めていう。

「とてもきれいね」

きみは麻理に振りむいて、にらみつけた。叫ぶようにいう。

「どこが。あんなの、ただの夕焼けだよ。日ざしが傾いただけ。わたしは、絶対あんなはしごなんかのぼらない。いい子になって、天国になんかいってやらない」

洋次が驚いていう。

「どうしたの、ミオカ。誰も今、死んじゃうはずがないだろ」

ぼくはきみの顔をじっと見ていた。一瞬だけすべての表情がなくなって、空白の顔になる。それからきみは無理やり笑顔をつくっていった。

「今はね。さあ、いこうよ。冷たいワインが待ってるんでしょ。お嬢さまの家だって、拝見したいしさ」

ぼくたちはどこか落ち着かない気分のまま、交差点を曲がった。背中では空高くヤコブのはしごが赤く燃えている。アスファルトに落ちる影は、奇妙に長い骸骨《がいこつ》のようだった。


麻理の家は西麻布《にしあざぶ》一丁目にある一軒家だった。近くに大使館があったり、となりにおしゃれなカフェがあるような家を、ぼくは生まれて初めて見た。コンクリートのモダンな三階建てで、打ち放しではなくクリーム色に塗装されている。そこに青いリボンのような線が走っていた。きみは白い家を見ていう。

「このおうちって、スウェーデンの国旗がデザインモチーフなの」

麻理は玄関のダブルドアの片方を開きながらいった。

「違う。うちのママがあの青が好きなの。別に意味はないらしいけど」

「あら、いらっしゃい」

そのママが白い大理石張りの玄関で出迎えてくれた。細くて、背が高くて、きれいな人だ。すかさず邦彦がいう。

「麻理のお姉さんですか。美人姉妹だなあ」

ママは白い首を見せて笑った。麻理はうれしそうにいう。

「ママとわたしは同じスーツが着られるの。今日のこれだって、ママに借りたんだ」

ぼくたちはあたふたしながら玄関をあがり、白い螺旋《らせん》階段を二階にのぼった。とおされたのはオフホワイトのカーペットを敷きこんだ広い部屋だった。中央には八人がけのモダンな白木のダイニングテーブルがある。テーブルセッティングはすでに完了していた。壁沿いには白いスタッキングチェアが並び、部屋の角には白くデコレートされた背の高さほどあるクリスマスツリー。ファイバーグラスがゆっくりと七色の光りのスペクトルを散らしている。

「きれい」

深緑のケープを胸に抱えて直美がいう。邦彦がテーブルのうえにおかれたアイスペールに手を伸ばした。

「ドン・ペリニヨンのピンク。おれたちが集めた会費じゃ、こんなシャンパンのめないよな」

先に席に着いた麻理が、恥ずかしそうにいった。

「それ、もらいものだから、のんじゃってもいいの。ママからのさしいれ」

邦彦はため息をついていう。

「あー、おれも金もちの家に生まれたかったな」

直美はシーザーサラダをとり分ける麻理を手伝い、洋次は手馴《てな》れた様子でシャンパンのボトルを音もなく開けた。邦彦とぼくはローストチキンを切り刻み、きみはぼんやりと座ったまま、ぼくたちのチームワークを幸福そうに見ていた。フルートグラスにつがれたピンク色ののみものは、ぷつぷつと泡をあげながら、あたたかな部屋で霜に包まれている。

食事の用意を終えたぼくたちは、立ちあがり乾杯の準備をした。麻理がいう。

「太一くん、なにか乾杯の言葉をお願い。うちのグループでは一番、口が上手だから」

「口が上手なんて、やらしいじゃん」

邦彦得意の横浜なまりがでた。席を立って、考えながらぼくは話す。

「一年たって新しい友人が増えました。ミオカさんは、変わったところもあるけど……」

ぼくはそこで息を切って、きみを見た。きみは顔中にあの邪悪な笑いを浮かべている。

「……まあ、悪くないやつみたいです。では、残り二年半を切ったみんなの大学生活が、もっと充実して、いい思い出がたくさんできますように。メリークリスマス、乾杯」

シャンパンのはいった薄いグラスをふれあわせる音は宝石のようだった。耳にまぶしく響くのだ。ぼくたちはよく笑い、よくたべた。世界のどこかでは、悲惨なことが起きているのかもしれないけれど、その白い部屋のなかではすべてが完璧《かんぺき》だった。

だが、どれほど完璧な時間も永遠には続かない。それどころか、その完璧さが一夜でさえ続くことはないのだ。きみとの最初のイブの夜、トラブルはプレゼント交換から始まった。


乾杯から一時間ほどたったころ、直美が腕時計を見ていった。

「そろそろプレゼント交換にしない」

「いいねえ、いいですねえ」

のみ慣れないシャンパンで頬を赤くした邦彦がはしゃいだ声をあげる。

「おれのプレゼントにあたったやつはラッキーだぞ。ものすごくセクシーだから」

麻理と直美が眉《まゆ》をひそめて、目をあわせた。酔っ払ったきみはいう。

「そうなんだー、わたし、やらしいのほしいなー」

用意されていたのは、白と赤のリボンが三本ずつだ。直美がいう。

「男子は白のリボンから好きなのを選んで。女子は赤いほうね。じゃあ、最初に白から」

ぼくはテーブルに伸ばされた三本の白いリボンを見た。リボンの先はテーブルのしたに消えて、それぞれプレゼントにつながっている。最初にぼくが、つぎに邦彦が、最後に洋次が選んだ。こういうちょっとしたスリルがパーティでは大切だ。

「じゃあ、つぎは女性陣ね」

洋次がやわらかな声でいった。直美、麻理、きみの順番で赤いリボンが減っていく。邦彦が待ち切れないようにいう。

「リボンを選んだ順に開けていこうぜ。最初は太一な」

ぼくはちいさな黒いベルベットの包みを開けた。なかからでてきたのは、銀の髑髏《どくろ》のネックレス。ちいさな紙片が一枚折ってあった。開いてなかを読む。

「これ、誰のやつかな。ネックレスと『なんでもしてあげる券』」

きみは例の笑いをこらえていった。

「わたしの。そのネックレス、表参道の露店でイスラエル人の男の子から買ったんだ。なかなか、カッコいいでしょ」

髑髏の目と口は黒々と光っていた。邦彦がぼくから手書きのチケットをひったくっていう。

「こっちのなんでもしてあげるってのは、なんなんだよ」

きみは平然という。

「そのままだよ。してほしいことなら、なんでもしてあげるチケット」

「おれ、これがほしかったなあ」

みんなが爆笑して、つぎに移った。邦彦が開けたのは直美のプレゼントだ。明知大学のマスコット、セキレイのあみぐるみである。洋次が開けた銀のフォイルは当然、麻理のものだ。青いカシミアのマフラーを首に巻いていう。

「サンキュー、ほしかったんだ。こういうの」

ぼくは髑髏のネックレスを細身のブラックタイのうえから首にさげた。忘れていたけれど、ぼくはすごくタイトな黒の2《ツー》ボタンのスーツだった。めったには着ないよそいきである。洋次のマフラーを見て、麻理がもつぼくのイメージは、こんな感じなのかと思った。ちなみに高価なカシミアなど、ぼくはひとつももっていない。

続いて女子がプレゼントを開ける番になった。最初が直美。包みを開いたとたんに声をあげる。

「えー、なあに、これ。みんなに見せられないじゃない」

酔った邦彦が鼻のしたを伸ばしていった。

「みんなに見せることないじゃん。それをはいて、おれだけに見せてくれたらいいんだからさ」

「冗談いわないでくれる」

直美が白いクロスのうえに広げたのは、黒いレースのショーツだった。赤いちいさなバラがびっしりとつながって、ウエストラインからクロッチになだれ落ちていく。かなりセクシーなやつだ。きみがいった。

「いいなー、それ。わたしの今夜のファッションにぴったり」

黒革のライダースに赤いチェックのミニなら、確かに似あいかもしれない。ぼくはきみがそのショーツをはいたところを想像しようとして、あわててストップをかけた。つぎに包みを開いたのは麻理だった。でてきたのはＣＤが二枚。ぼくのプレゼントだ。麻理は不思議そうな顔で、初めて見るジャケットに目を落としていた。きみがいう。

「あっ、クラッシュの『ロンドン・コーリング』とセックス・ピストルズの『勝手にしやがれ!!』だ。なかなか趣味いいじゃない」

どちらも三十年近くまえのパンクロックのＣＤだった。ぼくの趣味である。

「うるさいパンクだけど、どっちもすごく好きなやつだから」

麻理は白いジャケットの胸に黄色のピストルズのＣＤを抱えて、うれしそうにいった。

「ありがとう。今夜きいてみるね」

聖なるイブの夜にきく「アナーキー・イン・ザ・ＵＫ」。ぼくは麻理にいった。

「今夜はやめておいたほうがいいんじゃないかな。ストレスがたまったときなんかのほうがいいと思うけど」

きみはくすくすと笑っていた。

「レースのショーツも、パンクのＣＤも、わたしむけだったみたいね。それで、最後のプレゼントは」

そういいながら、きみは金色の包み紙をバリバリと裂いた。なかからでてきたのは、本とDVDディスクが一枚ずつ。

「なあに、これ」

洋次がおっとりという。

「久しぶりに感動したやつなんだ。DVDはその本を原作にした映画だよ」

それは高校生の恋人同士の話だった。少女のほうが難病にかかってしまい、ひとりだけ死んでしまう。残された少年が語り手だった。きみは本とDVDをテーブルに放りだした。

「なに、これ、わたし、お涙ちょうだいって、大嫌い。どうせ死ぬなら、ばんばんHしてから死ねばいいのに」

邦彦がとりなすようにいった。

「おいおい、いいじゃないか。それは日本中で大ヒットしたんだろ」

きみは真剣に怒っているようだった。グラスのシャンパンをひと息で空けていう。

「一億人が観たって、わたしは絶対に観ない。病気で人が死ぬ話なんて、暗くて大嫌い。ねえ、直美さん、そのショーツととり替えて」

きみは本とDVDを直美のほうに押しやって、黒いレースをつかんだ。ライダースの胸のジッパーを開けて、ポケットチーフのように下着をさした。

「こっちのがずっといいよ」

麻理が顔色をなくしている洋次を見て、口を開いた。

「洋次くんはそんなつもりで選んだわけじゃないんだから、そんなふうにいったら、ダメだよ、ミオカさん」

ドイツ嫌いといい、映画への反感といい、いったいどんな理由が隠されているのだろう。きみは攻撃目標が見つかった巡航ミサイルのように、洋次から麻理に視線を移した。

「だって、カッコ悪いものは、カッコ悪いもん。わたしのそばには、ああいうものはおいておきたくないの」

首に青いマフラーを巻いた洋次は、ますます椅子のうえでちいさくなった。直美がいう。

「麻理のいうとおりだよ。ミオカさん、洋次に謝ったほうがいい。だって、これからもずっと、うちのグループにいたいんでしょう」

きみは立ちあがって、足を踏ん張るように開いた。叫ぶように鋭くいう。

「誰がこのグループにいれてくれっていったの。こんなクリスマスなんて、冗談じゃないよ。なにがイエスさまの生誕の日だよ」

きみは酔っていた。それに心の底から怒ってもいるようだった。もっともそこにいた誰ひとり、きみの怒りの原因がどこにあるのかわからなかったけれど。きみはテーブルを離れて、雪のデコレーションで銀と白に輝くクリスマスツリーに駆け寄った。

「こんなもの、なんだよ。神さまなんて、なにもしてくれないんだよ」

右手をグーににぎって、銀色の星をなぐりつける。きみは足をしっかり踏みこんで、右のまわし蹴《げ》りを放った。背よりも高いクリスマスツリーが根元から倒れていく。

「ざまあ見ろ」

きみは静まり返った部屋を見まわした。誰もが異邦人を見るようにきみを見ている。きみはなにもいわずに部屋を飛びだした。ゲストルームのドアを開けると、そこには麻理のママがトレイをもって立っていた。

「ごちそうさま」

怒った顔のまままきみはそういうと、足音が廊下を遠ざかり、階段をおりていく。それが最初のイブの夜に起きたことだ。クリスマスツリーまわし蹴り事件。それはぼくたちのグループで語り草になる歴史的なエピソードのひとつである。

6

いつもの渋谷なのに、やはり新年にはどこか違う雰囲気があった。空気が澄んでいるというか、ほこりや塵《ちり》がぬぐわれて清々《すがすが》しくなっているというか。ぼくは雨あがりのあとの奇妙に透明な空を思いだしていた。空が怖いくらいに深くなり、遥《はる》かに離れたものだって、手を伸ばせばすぐに取れそうな気になるのだ。

もっとも、そんなのは見る側の勝手な思いこみに決まっている。正月の渋谷は、人出が普段の倍以上になっている。ラッシュアワーの銀座《ぎんざ》線のホームと変わらない。なんといっても、デパートやブティックで冬のバーゲンセールが始まるし、長い休みを利用して遠くからきている観光客も多い。なぜ、みんな休日にまで渋谷なんかにやってくるのか、ぼくには謎だけれど。

元旦《がんたん》を数日すぎて、ぼくたちのグループは渋谷で新年会をすることになった。みんなヒマなのである。あれこれとスケジュールが埋まっている振りを誰もがしていたけれど、いざ新年会の話をすると反対する者はいなかった。大学二年生にもなって、ステディがいないというのは悲しいことだ。まあ、女性誌を読みすぎて、いつだって恋をしていなくちゃ失格なんて思いこんでいる女の子よりは、ずっとましだけれど。

ぼくたちは公園通りの角にあるマルイシティのエントランスで、午後二時に集合した。あそこには屋根があって、広場があって、座って待っていられる長い階段がある。ぼくの好きなヒューマンウォッチングには最高の場所だ。誰でもそうだと思うけど、その場にいる一番かわいい女の子や一番ハンサムな男を見つけるのが、ぼくは好きなのだ。だからといって、一度も声をかけたことはないけれど。

その日はこれといって、美女はいなかったが、ひどく目につく人間がひとりいた。紫がかったピンクの髪に、全身ショッキングピンクのジャージ。スタイルは悪くないけれど、残念ながらぼくの守備範囲外だった。なにせ彼女は、ゆうに七十歳を越えているのだ。ピンクのおばあちゃんは交差点の角に立ち、坂のうえのほうを見あげている。

ぼくが石張りのステップに腰をおろしていると、洋次と邦彦がやってきた。男性ファッション誌を開いて、あれこれとチェックしている。ぼくは座ったまま声をかけた。

「狩りの準備か」

邦彦がブランド店のバーゲンスケジュールから目をあげていった。

「まあな、女の子は一日に三人だってきついけど、バーゲンのはしごなら十店くらい軽いじゃん」

洋次が穏やかにいう。

「そうか、邦彦にはショッピングって女の子と同じなんだ」

「まったく同じってことはないけど、似てるとこないか。あれこれとくらべてるときが一番楽しくて、実際決めるときにはけっこう悩むし、金もかかるだろ。それでさ……」

そのときさきみが背の高い洋次のうしろから顔をのぞかせた。邦彦の自慢げな言葉の途中に割りこむ。

「いざ、自分のものにしたら、すぐに醒《さ》めちゃう。邦彦は一回やったら、女なんてそれでいいんでしょ。お子さまみたいなHしてるから、逆にすぐ相手に飽きられるんだよ」

邦彦はきみの頭を脇に抱えて、ヘッドロックした。

「誰がお子さまみたいなセックスなんだよ。美丘、おまえ、一度犯すぞ」

きみは黒いエンジニアブーツで、邦彦の尻《しり》を蹴飛《けと》ばしながら叫んだ。

「へたっぴはへたっぴに決まってるんだよ。わたしは見ればわかるもん」

「ふたりとも、そのくらいにしておきなさいよ」

麻理がやってきて、静かにいった。それだけで騒ぎがぴたりとやむのだから、キャラクターというのは怖いものだ。背の高いお嬢さまのとなりには、小柄でリスのように動きの速い直美が不思議そうな顔で立っていた。

「ねえ、美丘さん、ほんとに見ただけでわかるの」

きみはくしゃくしゃになった髪を直しながら、三人の男性陣を順番に見わたした。ぼくたちはそれぞれ急に姿勢をただしたり、澄ました顔をつくったりする。きみはにやりとあの邪悪な笑いを浮かべていう。

「うーん、一番へたっぴはやっぱり邦彦じゃないかな」

邦彦はなにもない石張りのフロアを蹴りつけた。

「なんで、おれなんだよ。このマジックフィンガーを見てみろって」

きみにむかって中指を立てる邦彦に、みんなで大笑いした。

「そういうところがダメなんだよね。わたし、エロい人は好きだけど、下品な人は嫌いなの。自信過剰で、いっしょにHしてる相手のことよく見てないでしょ。あのね、女の子はみんな、ああいうときはすごくたくさんのサインをだしてるんだよ」

お嬢さまの表情が変わった。なかなかいいことをいうじゃないという顔で、うちのグループの新メンバーを見つめている。直美は手帳をだしてメモを取りそうな勢いでいった。

「じゃあ、残りのふたりは」

きみは混雑したファッションビルのエントランスで、ぼくと洋次を交互に見る。

「このふたりってタイプが似てるからむずかしいな。でも、どっちかというと太一くんのほうがうまそう」

ぼくはまだ階段の途中で座ったままだった。正直によろこんでいいのかどうか、実に微妙な問題だ。邦彦が頭をかきむしっていった。

「どうして本ばかり読んでる太一が一番なんだよ。第一、おれだけ呼び捨てで、太一はくんづけじゃん」

「もう、へたっぴはうるさい。あのね、洋次くんは相手が女性だっていうだけで遠慮してるところがあると思う。邦彦と逆で優しすぎるというか。そのへん太一くんはバランスがいいんじゃないかな。なんか予想もつかないことしそうだし。わたしの経験からいうと、頭がよくて皮肉屋で感覚の鋭い人は、だいたいうまかったな。たとえへたでも、そういうタイプはすぐに学習してうまくなるよ、ね」

きみはそういって、ぼくにうなずきかけた。ぼくは自分のベッドテクニックについては、あまり自信がなかった。とぼしい機会ととぼしい経験。特別に遊びまわっている一部の学生以外は、みなそうだと思う。麻理が最後を締めるようにいった。

「今の美丘さんの意見は、けっこう参考になったかな。じゃあ、これからいったん解散。集合は二時間後でいいの」

邦彦が腕時計を見た。

「おれ、今日はあちこち見たいから二時間半後でいいかな」

全員がうなずいた。ぼくはデパートめぐりはせずに、本屋とCDショップをまわるだけだった。時間は別にいつでもかまわない。

「じゃあ、四時半にここで再集合ね、じゃあ、いこう」

麻理を中央にきみと直美が歩きだした。タイプは違うけれど、なかなか目を引く三人だ。まわりの男たちの視線が自然に集まってしまう。もっとも、そのうちの多くはきみではなく、女王さま然とした麻理に集中していたけれど。ぼくは洋次にいった。

「そっちはどうする」

「昨日のうちにプランは立ててあるんだ。邦彦といっしょに渋谷でハンティング。こうしちゃいられない」

ふたりが早足でいってしまうと、ぼくはその場に残って、もうしばらく本を読むことにした。冬とはいえ、東京の空は穏やかに晴れて、あたたかかった。久しぶりにたくさんの人のなかで孤独でいる贅沢《ぜいたく》を味わいたかったのだ。それは都会のひりひりするようなお楽しみである。

正月のあいだ家族とすごすのは居心地いいけれど、すぐに飽きてしまう。こうして友人の顔を見たり、またひとりになったりすると、ようやく本来の自分にもどれる気がするのだ。二十歳は大人と子どものあいだに張った高い空中ブランコで揺れる時期である。どうせ揺れるなら、できるだけ軽快にスウィングしたいとぼくは思う。

考えてみれば、夕方から始まる新年会の会場で待ちあわせれば、それで十分なのだ。何時間も早く集合したりするのは、一刻も早く自分の育った家族という重力圏から逃れたいという気もちなのだろう。

家より街、家族より友人。それが会社や恋人になるには、ぼくたちはまだまだ時間がかかりそうだ。

7

冬の夕日は早かった。四時半には渋谷の空はすっかり暮れて、青ガラスのように澄んでいる。もともとビル街で、空はスライスチーズくらいの厚さしかないから、夕日など見えるはずもない。

約束の十分まえにぼくは先ほどの場所にもどった。公園通りのゆるやかな坂道に続く角の広場である。ぼくより先に、麻理がきていた。明るいブルーのコートは襟だけふわふわの白いファーだった。純白の雲にとがったあごを埋めるようにして、麻理はショッピングバッグを足元に立っている。

「ひとりでいるとナンパされるんじゃない」

麻理はぼくの顔を見ると、さっと表情を変えて笑顔になった。それはお湯のなかにインクを垂らしたような変化だ。無表情で透明だった顔が一瞬で変わる。きみには悪いが、麻理は美人だったから、それはなかなかの見ものだった。

「さっきから三人きたかな。よかった、太一くんが一番にきてくれて」

お嬢さまはそういって、ぼくに光沢のある黒い紙袋をさしだした。予想外のことで、あせってきいてしまう。

「それ、なに。今回はプレゼント交換はないよね」

恥ずかしそうに麻理はいう。

「そうだけど、たまたま太一くんに似あいそうなのがあったから。バーゲンで半額だったから、いいかなと思って」

手をさしだしたまま、麻理はぼくを見つめていた。真剣で切ない目だった。男だって目は同じなのに、なぜ女の子のまつげはこんなに長いんだろう。ぼくはぼんやりそんなことを考え、軽い紙袋を受けとった。

「ありがとう。じゃあ、いつかお返しに麻理に似あうもの探すよ」

彼女はあわてて首を振る。

「いいの、いいの。これはわたしが勝手に買っただけだから」

ぼくはショッピングバッグを確かめた。薄紙を裂き、中身をとりだす。それは紺のマフラーだった。両端にはユニオンジャックが幅いっぱいに刺繍《ししゅう》され、銀のおおきな安全ピンが刺してある。

「太一くんのクリスマスプレゼント、パンクのCDだったでしょ。だから、こういうの好きかなって思って。わたし、思うんだけど、うちのグループの中心ってやっぱり太一くんなんだよね。みんなが浮き足立っても、ひとりで冷静でいるというか。今年もみんなをよろしくね」

いきなり学年でも有数の美人にそんなことをいわれて、ぼくは舞いあがってしまった。とりあえずマフラーを首に巻く。

「似あうかな」

頬を染めて返事をしようとしたところで、麻理の顔色がまた変わった。女の子が引っこんで、氷の王女にもどってしまう。そのときぎみがぼくの肩をたたいていった。

「なんだかいい雰囲気だったじゃない、テクニシャンの太一くん。あんまり女の子を泣かしちゃいけないよ。わたしだって、麻理さんのこと好きなんだから」

麻理は平然ときみに笑顔を返した。感情のはいらないクールな笑い。これだから、女は怖い。

「ありがとう。でも別にいい雰囲気ではないから。ちょっと話をしていただけ」

きみはマフラーの先を振っていった。

「でも、あのCDいいセンスだったよね。わたしも英国パンク大好きだもん。ピストルズやクラッシュだけじゃなく、ストラングラーズにダムドに、キリング・ジョークにバズコックスなんか」

どれも二十年以上昔に最盛期を迎えたイギリスのパンクバンドだった。最近ではまったく流行《はや》っていないパンク全盛期のローテクなギターバンドである。技術も余裕もなし、熱っぽさと魂だけは満点というやつ。きみは目を輝かせていう。

「わたしも、ああいう荒っぽくて激しくて、今を生きてるって感じが好き。最近のポップスなんて、十代の子どもむけばかりだもん。ぜんぜんおもしろくないよ」

麻理はすこし悲しそうな顔できみを見た。きみは無邪気にいう。

「麻理さんも、パンクが好きなら、今度いっしょにライブハウスいこうよ。三人でさ」

王女は首を横に振っていった。

「わたしはほんとうのことというと、パンクってあまりよくわからないの」

きみは残念そうにいう。今にすれば、悪意がないだけきみは残酷だった。

「そうかあ、残念だなあ。麻理さんのスタイルなら、完璧《かんぺき》なパンクファッションが決まるんだけどな。そうしたら、大学でも一番目立っちゃうのに」

麻理は微笑んできみにいった。

「そういうファッションは、太一くんと美丘さんにまかせておくね」

麻理は冷たい笑いに隠れてしまった。こうなると彼女の心は誰にも読めなくなる。氷の王女は孤独だ。しばらくして、残りの三人が集まった。それぞれ戦利品を抱えている。なかでも洋次の荷物は両肩からさげ切れないくらいだった。邦彦があきれたようにいった。

「こいつってさ、迷うと両方とも買うんだよ。おれなら、あとでまた考えようって思うんだけど。やっぱり金があると、人間が違うんだな」

一番おおきなサイズのショッピングバッグをよっつおろして、洋次はいう。

「あー、肩にひもがくいこむ。だって、あとでもう一度なんていってると、つぎにいったときにはなくなってるじゃないか。ものとの出あいって、一回しかないんだから」

直美はちいさな紙袋を胸に抱えて、しあわせそうだった。

「そろそろ、いきましょう。お店が混み始める時間だし」

ぼくたちがのろのろと移動しようとしたときだった。なにかに気づいたきみがいう。

「あそこのピンクのおばあちゃんて、さっきからいなかったっけ」

ぼくは交差点の角を見た。信号のしたのガードレールにもたれるように、先ほどの女性が背を丸めていた。邦彦がいった。

「やけに派手なばあちゃんだな。デートの約束でもあるんじゃないか」

背中は丸まり、きょろきょろと周囲を見まわしている。不安なのだが、誰かに声をかけることもできずにいる。そんな感じだ。七十歳はすぎているのだろうが、幼い迷子のように見えた。ぼくはいった。

「あの人なら、二時間半まえにもあの交差点に立っていた」

きみはきつく眉《まゆ》を寄せて、ピンクのジャージめがけて早足で歩きだした。麻理がいう。

「どうするの、お店にいくよ。あそこはすぐに混んじゃうんだから」

その店は渋谷にはめずらしいもんじゃ焼きの店だった。安くて量もたっぷりなので、開店するとすぐに学生でいっぱいになってしまうのだ。

「ちょっと待ってて、わたし、あのおばあちゃんと話してくるから」

ぼくたちは顔を見あわせた。きみだけおいて、新年会を始めるわけにもいかない。

「様子を見てくる」

ぼくはそういって、人波のなかに見え隠れする、きみのちいさな背中を追った。

8

きみは交通標識のポールにすがりつくように立っている老女にいった。

「あの、どうかしましたか。さっきから、ずっとここにいるみたいですけど」

振りむいてこちらを見た老女の目に、ぼくは胸を打たれた。今にも泣きそうに濡《ぬ》れて、おどおど揺れている。やわらかな声でたずねた。

「誰かと約束しているんですか」

全身ピンクの老女は、なんでもないという顔をつくった。目は恐怖と不安でビー玉のように澄んでいる。

「いえいえ、わたしはご近所を散歩していただけなの。いつもの道だから、だいじょうぶ。ちょっと道に迷っただけだから」

手袋をした手をとろうとすると、震えてしたをむいてしまった。

「ほんとにだいじょうぶですから。なんでもありませんから」

様子がおかしかった。なにか事情があるのは確かなようだ。ぼくはさらに優しい声でいった。

「近くに交番がありますよ。ごいっしょしましょうか」

「交番はやめて。おまわりさんは怖いから」

ぼくはきみを見た。きみはじっとピンクのジャージ姿で震えている老女を見つめていた。自分と同類の仲間でも見るような、深い憐《あわ》れみを感じさせる視線。ぼくはきみがそんな目をしているのを初めて見た。ちょっとびっくりしてしまう。きみの嫌いなクリスマスでいえば、幼子イエスを胸に抱いたマリアのような視線だ。きみは腰を折って、したからのぞきこむように老女を見あげた。囁《ささや》くようにいう。

「だいじょうぶ。わたしはあなたを傷つけようとは思っていないの。ここにいる人も同じだよ。ねえ、ちょっと散歩をしているうちに、道に迷っただけなんでしょう。じゃあ、そろそろ、家に帰ろうよ」

きれいに紫がかったピンク色に染めた髪をあげて、老女はきみを見た。

「それが、あの、ここがどこだか……」

きみは忍耐強かった。普段とは別人のように優しく老女の手をとる。

「だいじょうぶ。ここがわからなくても、きちんと家には帰れるんだから。渋谷なんか知らなくても、ぜんぜん平気よ」

そのとき四人がやってきた。邦彦が無神経にいう。

「おーい、並ばなきゃいけなくなるぞ。そろそろ、いこうぜ。なんとかなるだろ、ばあちゃんだって、金もってるんだから」

きみは顔をあげて、すごい顔で邦彦をにらんだ。

「太一くん、ちょっときて」

老女からすこし離れて、ぼくたち六人は顔を寄せた。きみは低い声でいう。

「あの人、ちょっとボケてるみたい。散歩の途中で自分がどこにいるかわからなくなって、パニックになってるみたいなの。わたし、どうしても気になるから、あの人を家まで送っていく。みんなは先にお店にいっていて。あとでかならず顔だすから」

直美が目を見開いて、きみを見ていた。

「なんだか、いつもの美丘さんじゃないみたい」

ショッピングバッグに埋もれた洋次もおかしな顔をしていた。

「ほんとだ。美丘はおばあちゃん子だったのかな」

「ぜんぜん違うよ。でも、あのまま放っておけないでしょう。アルツハイマー病に関しては、すこし調べたことがあるんだ。突然、自分の家や住所を忘れたりすることもあるんだって。大切なことを忘れている自分を認めたくなくて、誰にも助けを求められない。今、あのおばあちゃんは外国にひとりでいるみたいなものなの。だから、わたしが助ける」

麻理はきみとぼくに順番にうなずきかけた。威厳のある声でいう。

「太一くん、美丘さんといっしょにいってあげて。あのおばあちゃんを助けるのは、新年会より大切だものね。あなたがこういうときは一番気がきくもの」

ぼくは麻理にいわれなくても、きみといっしょにいくつもりだった。あの冷えびえと恐怖に濡れた目を見たら、誰だって放ってはおけないだろう。冬の午後、渋谷で三時間近く立ち尽くすなんて、最悪の罰ゲームである。きみは例の邪悪な笑顔で、麻理にいう。

「心配しないでいいよ。今日は太一くんを道玄坂《どうげんざか》のラブホに連れこんだりしないから。じゃあ、いってくるね」

ぼくときみはおたがいの顔を見あわせ、立っているのがやっとの老女のそばにもどった。

「疲れたでしょう。もう、ここにしゃがんでしまおうよ」

きみはそういうと、まず自分からその場にしゃがみこんだ。渋谷の繁華街の交差点である。周囲をとおりすぎる人間が、岩に分かれる流れのようにきみを避けていった。老女もすぐにポールを抱いたまま、座りこんでしまう。ぼくもきみのとなりに座った。

「いつから、ここにいたんですか」

ピンクのおばあちゃんはあたりまえのようにいった。

「お昼すぎくらいかしら。今日はいいお天気だったから」

そうなのだ、あくまでも彼女にとっては、散歩の途中なのだ。大切なのは、彼女を家まで送るだけでなく、彼女のプライドを守ることだ。きみは完璧なアシストを決める。

「そうですよね、今日はあたたかだったし。わたしたち、そろそろタクシーで帰ろうと思っていたんだけど、よかったら途中までごいっしょしませんか。わたし、おばあちゃんの顔見たことあるんだ。きっとご近所だよ」

それからきみはぼくに目配せした。ぼくも必死で調子をあわせる。

「きっとそうですよ。だって、こんなにきれいなピンク色のジャージなんて、一度見たら忘れられないから」

「そうかしら」

青ざめていた頬に、血の色がもどってきた。

「いっしょにいくのはいいけれど、おばあちゃんの家のそばになにか目印なかったかなあ。ほら、タクシーの運転手さんに教えてあげたいから」

老女が眉をひそめた。ぼくはとりなすようにいう。

「ゆっくりでいいんです。ぼくたちはぜんぜん急いでいないから」

彼女はまるで関係のないことをいう。

「若い人って、いいわね。おふたりは恋人同士なんでしょう。お似あいですものね。わたしも結婚したころは、毎日が楽しかった」

なにをしているんだろうかと思った。交差点の角では信号のたびに数百人の人々が信号待ちをしている。そのただなかで、自分が誰でどこにいるかもわからない老女と、座りこんで話をしているのだ。冬の空はもう明るさを完全に失っていた。街灯やビルから降る光りで、歩道は昼間のように明るい。それは奇妙に現実感のない光景だった。あせりを感じたぼくのとなりで、きみはゆったりと老女に調子をあわせていた。

「でも、男の人って、ちゃんとつきあい始めるとたいへんですよね」

「こちらの人は、優しいでしょう。あなたはいい人を見つけたわ」

きみはぼくを見て笑った。おもしろいことなどなにもないという顔をしていても、中身は隠せないのだろう。きっとぼくは自分で思っているより優しい人間なのだ。それは美丘、きみだって同じだったはずだ。

「今の家でずっと暮らしているんですか。散歩でくるくらいだから、ここから遠くはないと思うけど。ご主人とは家の近くを歩いたりしなかったんですか」

老女はひとり回想のなかにいるようだった。しばらく目を閉じて微笑んで、ぱっと顔を輝かせた。

「思いだした、あの人といっしょによく散歩しました。代々木《よよぎ》公園のなかをゆっくり、それで帰りは福泉寺《ふくせんじ》でお賽銭《さいせん》をあげて、家に帰るの」

「素敵なデートコースですね」

きみはそういって顔をあげ、ぼくに力強くうなずいた。ぼくは立ちあがった。きみは目を光らせていう。

「福泉寺ってわかる」

「わかる。代々木八幡《はちまん》の駅のそばだ」

　ぼくたちは交差点の角でタクシーにのりこんだ。まだ松の内の道路は混雑していたが、渋谷から代々木八幡までは、千円足らずの距離だ。タクシーの後部座席で老女をまんなかにして、ぼくたちは新婚時代の話をきいていた。

「昔はこのあたりもビルなんて、ぜんぜん建っていなかった。道路がこうして、きれいに舗装されたのもつい昨日のことなの。うちの主人とはお見あいで出会ったのだけど、わたしは運がよかった」

　きみは不思議そうにいう。

「どうして。お見あいだったら、嫌なら断ればいいじゃないですか」

　ネオンの明かりがタクシーの狭い座席をななめに横切っていく。老女は夢見るような表情だった。

「そのころの見あいはよほどのことがない限り、断ることなんてできなかった。わたしはいい人にあたって、よかったの。結婚してから、初めてちゃんと恋ができたから」

　老女はきみのほうにむき直って、ぴしりといった。

「いいこと。この人はほんとうにいいと思ったら、その人を絶対に逃したらいけませんよ。

そういう人は一生にそう何度も出会えるというものじゃないの。ね、わかった。あなたはこの人を放したらダメ」

代々木八幡の駅が見えてきた。老女は座席から身をのりだすように、窓の外の景色を見つめている。それはどこかの居酒屋のおおきな赤提灯《ちょうちん》だった。見つけたとたんに老女は叫んだ。

「ここで、ここで。ここでとめて」

ぼくは彼女の顔をそっと盗み見た。心の底から安心したのだろう。目尻《めじり》のしわに涙がにじんでいた。運転手に待つようにいって、三人で車をおりた。老女はぼくたちに頭をさげた。

「この角をはいってすぐのところに家があるの。いつか近くまできたら、寄っていってくださいね。今日はどうもありがとう。若いお友達ができて、うれしかった」

彼女はそうだといって、ジャージのポケットに手をいれた。

「これ、おみやげにあげる」

きみは白い塊を受けとった。

「じゃあ、どうもありがとうね」

逃げるように老女が暗い路地に消えていく。ショッキングピンクの背中が弾むように軽やかだった。

「よかったね」

きみが涙ぐんでいるのを見て、ぼくはびっくりしてしまった。ティッシュの包みを開いて、きみは笑った。

「半分ずつにする？　太一くんはどっちがいい」

それはすこしひからびたように見える鯛《たい》焼きだった。きみは半分にちぎる。

「尻尾《しっぽ》のほうでいいよ」

「そういうと思った。麻理さんがいうとおりだな。太一くんは、なかなか見どころあるよ。きっとまだへたっぴだろうとは思うけど」

ぼくは笑ってこたえなかった。鯛焼きはあのおばあちゃんの体温で、まだほのかにあたたかかった。すごくうまいわけではない。でも、ちょっと忘れられない味だった。ぼくたちは二口で鯛焼きを片づけると、みんなが待っている店にむかうために、タクシーにのりこんだ。

そのときには、ぼくもきみも、あのピンクのジャージ姿のおばあちゃんが予言者だなんて信じてはいなかった。飛びすぎる新年の街明かりに、心をしびれさせていただけだ。

人の心がどんなふうに結ばれるのか、それはきみを失った今、ぼくには完全に謎のままだ。

9

二月は東京の冬の底だ。

人も物も凍りついたように動かず、空は削った氷のように不機嫌にまぶしく曇っている。どこかの本で読んだことがある。寒さの厳しい北欧の恋人たちは、クライマックスを終えたあと、いつまでも抱きあっているのだという。反対に赤道直下では汗だくの身体をすぐに離してしまうのだそうだ。結局、恋の熱量だって気候に左右される。人間は動物だ。この話をしたとき、きみは笑っていった。

「じゃあ、わたしは断然、北欧派だな。フリーセックス万歳って感じ」

こんなに幼い表情をして、どうしてあけすけなエロトークが得意なんだろうか。そのころのきみは、ぼくには未知の生物だった。ほかにきみのような女の子とは会ったことがない。不思議でしかたなかったのだ。

「いつまでも汗をかいた男と身体をくっつけてるのか」

へへっときみは少年のように笑う。

「汗ならわたしがなめてきれいにしてあげる。まあ、汚い男よりかわいい女の子のほうがいいけどさ」

ぼくは校門にむかう並木道のうしろをちらりと振り返った。麻理にはきっときこえているのだろうが、氷の王女は表情を変えなかった。ゆるやかな縦ロールの髪に白いラビットのロングコート。王女の恰好《かっこう》には染みひとつない。ぼくの視線に気づいたのだろう。きみは麻理を見て、うわ目づかいになった。

「麻理さんなら、今晩でもいいなあ」

それから軽蔑《けいべつ》したようにぼくに視線を流した。

「こんな本ばかり読んでるガキんちょは放っておいて、今度わたしとデートしようよ」

麻理は穏やかに笑って目を細めた。目は笑っていないのだから、女は怖い。

「遠慮するわ。友達ならいいけど、恋人は嫌。わたしはやっぱり男の人がいいもの。美丘さんは、そんなことばっかりいってるから問題を起こすのよ」

ほらねという勝ち誇った目で、レンガ造りの門柱を示した。冬枯れのイチョウには黄色く乾いた葉がぽつぽつと残っているだけだ。淋《さび》しい並木道の先に真新しい自動車のいきかう青山通りがある。門柱にもたれるように、女の子がひとり立っていた。それはこの数日、ぼくたちのグループのあとをついてくるちょっと変わった子だった。きみは目を丸めていう。

「うわっ、またいるよ。ストーカーみたいじゃない。ねえ、校門を避けて、三人でフェンスのり越えて帰らない」

ぼくと麻理は顔を見あわせた。誰が高さ三メートルもある鋳鉄《ちゅうてつ》のフェンスを越えるのだろう。

「それより、なにがあったか知らないけど、ちゃんとケリをつけたほうがいいんじゃないか。あの子、ひどく真剣な顔してる」

彼女はこちらに目をやることもできずに、自分のつま先を見ていた。ロングカーディガンにひざまで届く同じ深緑のニットマフラー。パンツの裾《すそ》は絞られて、先のとがったパンプスに続いている。裏原宿系《うらはらじゅく》のファッションだ。

きみはぼくを見るといった。

「ちょっとゆっくりきてくれる。あの子と話をするから」

戦場にでもむかうように、きみはブーツの音も高らかに歩きだす。ヒールはスパイクではなかった。長靴のような黒いエンジニアブーツ。麻理が感心したようにいう。

「美丘さんて、なんだか憎めないね。見てると飽きないもの」

「ほんとだ」

麻理ははにかんでいった。

「わたしもあんなふうに大胆に、男の人とベッドのことなんか話せたらいいのに」

「ぼくなら、いつでもつきあうよ」

顔のまえで精いっぱい開いたてのひらを思い切り振った。

「太一くんはいいの。そういう話はしなくていいから」

ぼくは正月に麻理からもらったユニオンジャックのマフラーの先にふれた。おおきな安全ピンはメッキではなく純銀だった。お嬢さまが選ぶのは、いくらパンクテイストでも高級品なのだ。いつかこのお返しをしなければならない。ぼくはアルバイトの入金を考え、ため息をついて校門にむかって歩きだした。


ウラハラ系の女の子は、きみとあまり背の高さが変わらなかった。ということはかなり小柄だ。太ってはいないが、きちんと女の子らしく肉のついたきみ（美丘、このくらいの表現できみは許してくれるだろうか）と並ぶと、華奢《きゃしゃ》なスタイルが目立つ。立ち話をしているきみたちの横をとおるとき、彼女の声がきこえた。

「でも、わたし、人間としてもうすこし美丘さんのことを知りたくて……」

きみはちらっとぼくたちに視線を流していう。

「わかった。話をするのはいいけど、わたしも友達といっしょだから、こうして帰りを張ったり、あとをつけるのはやめてくれる」

二月の冬空のした、氷水を浴びせるような声だった。ぼくは思うのだけれど、自分が好きでもない人にたいして、女性はなぜあれほど冷たくなれるのだろうか。剃刀《かみそり》で切るように昔の男にすっぱりと方をつけられるあの性格は、ぼくには永遠の謎だ。

彼女はうなずいたようだ。きみは目もくれずにいう。

「じゃあ、そういうことで。さよなら」

きみがもどって、ぼくたちは三人で青山通りを表参道にむかって歩きだした。ぼくは背中が気になってしかたなかった。すこし距離をおいて、あの子がついてくるのだ。

「だいじょうぶなのか、あれ」

きみは平然という。

「だってしょうがないじゃない。それより寒いから、早くカフェにはいろうよ。あったかいココアがのみたいな」

いつものメンバーが待っている喫茶店は、表参道の交差点の近くにある。足早に歩いて、ふたつ目の信号機をすぎたとき、ぼくは振り返った。あの女の子の姿は、白い歩道から消えていた。東京の淡雪のようだった。空からゆっくりと揺れながら落ちて、歩道の敷石にふれたとたんに、透明に角を丸め消えてしまうのだ。

なんだか幻のような女の子。

10

「おー、待ってたよ。あのかわいい子、今日はどうした」

女好きの邦彦は、かすかに目のしたを赤くしていた。テーブルのうえには、最近うちのグループで流行《はや》りのアイリッシュコーヒーがおいてある。熱いコーヒーにアイリッシュウイスキーが垂らしてあるのだ。身体をあたためるには最高だが、その分アルコールのまわりも早い。ビルのなかなのに、カフェはログハウス風の内装だ。きみは無表情にいった。

「帰った」

「なんだ、残念だな。おれが男のよさを教えてやったのになあ」

きみは横をむいて吐き捨てるようにいった。

「あんたみたいなのがいるから、ちえみはあんなふうになったんだよ」

「どういう意味」

麻理がふたりの会話に割りこんだ。酔った邦彦が相手では、きみはきっとなにも話さなかっただろう。ホイップクリームを浮かべたココアをすすって、きみはいう。

「だからさ、ちえみにもつきあってる彼がいたんだけど、ひどいやつだったんだ」

お坊ちゃんの洋次がおっとりという。

「ひどいってなにがさ」

「なぐるんだよ」

直美がえーっと声をあげた。ぼくはきみを見つめた。いつも明るい目が暗く沈んでいる。

邦彦は酔っているようだ。

「おれは女の子はなぐらないよ」

きみはバカにしたようにいう。

「でも、すぐに男のよさを教えてやるなんていう。そういうのをセクハラっていうんだよ」

氷の王女は冷静だった。

「邦彦くんのことはいいわ。ちえみさんのボーイフレンドはなにをしたの」

きみは肩をすくめた。

「ケンカをするとすぐに手と足をだした。それだけじゃなくて、Hのときにも暴力を振るうんだって」

「ひどい……」

直美が顔をくしゃくしゃにして、泣きそうな顔になっている。きみはさばさばといった。

「でもね、ちえみの家でも親が同じことをしていた。というより、ちえみのおかあさんが同じことをされてたんだ」

典型的なドメスティック・バイオレンスだ。だが、DVという言葉が輸入されるまでは、家庭内暴力なんて日本では存在しなかったのである。ただのちょっと手荒な夫婦喧嘩《げんか》だ。

麻理は静かにいった。

「それで、ちえみさんはどうしたの」

「ずっと、どうもしなかったよ。だって男と女って、自分の親と同じでそういうものだって思ってたんだから」

「ひどいな」

お坊ちゃんは嘆くときも、どこか優雅だった。邦彦が赤い顔をしていう。

「その男、どこにいるんだよ。これから、みんなでなぐりにいこうぜ」

「あなたはいいから。美丘さん、どうしてそれがわかったの」

「うーん、冬休み明けにちえみは、首の横のところにあざをつけて大学にきたんだ。それできいたら、まえの晩にHしながらなぐられたって」

樹齢何百年かの大木を輪切りにしたいびつな丸テーブルをかこんで、ぼくたち六人は黙りこんでしまった。平和でおしゃれな大学生活と、つきあっている男から始終暴力を振るわれるウラハラ系の女の子。コントラストが激しくて、なんだかめまいがしそうだ。

だけど、どこかがおかしかった。だって相談にのっただけなら、あんなふうに彼女はきみを追いかけまわすことはないはずだ。ぼくはそ知らぬ顔でココアをのむきみにいった。

「それで、相談にのっているうちに、美丘はあの子に手をだした」

直美が椅子の背につよく身体を引いた。邦彦は口笛でも吹きそうな顔でよろこんでいる。洋次はぼんやりと困った表情で、麻理はいつものように誰にも自分を傷つけさせないという冷たい顔をしていた。きっと内心では、動揺しているのだろう。

「太一くんは、つっこみが厳しいな。でも、そんな感じかな」

「もったいぶらずに早く話せよ」

邦彦がはやすと、きみはぴしゃりという。

「うるさい、酔っ払いは関係ないの。わたしはいろいろ相談にのったんだ。普通の男女交際にはゲンコツなんかでてこないって教えて、彼と別れるときにはその場にいった。わたしがいなかったら、ちえみ絶対またなぐられていたよ」

きみはそこで話をやめて、うわ目づかいにぼくを見た。ニッと照れたように笑う。

「あの子、けっこういけてるでしょう。毎晩いろんな話をしてるうちにさ……」

酔った邦彦が自分の身体を抱き締めて、悲鳴のような声をだす。

「同情が愛情に変わってってやつだろ。おれ、そういうの大好き」

麻理が怖いくらいの目で、邦彦をにらんだ。見られただけで、全身が凍りつく冷凍ビームみたいな視線。ぼくは麻理をフォローする。

「クニ、黙ってろよ。それで、美丘は手をだしちゃったのか、その、ちえみさんに」

きみはもう体勢を立て直していた。あっけらかんという。

「うん、急にかわいく見えちゃって、キスしちゃった」

直美は宇宙人でも見るように身を引いて、きみを見ていた。

「あのさ、犯罪じゃないんだから、そう堅いこといわないでくれる。みんなだって、テレビでゲイの男の人たくさん見て大笑いしてるでしょう。営業オカマだって、たくさんいるし」

そこまでいって、ぼくのほうを見る。にやりと笑っていった。

「それといっとくけど、わたしは女だけじゃなく、男も好きだから。そこのところ、よろしく」

イエーイと歓声をあげたのは邦彦。麻理は氷の微笑をとりもどしてきみを見た。

「それじゃ、彼女のこと、美丘さんがなんとかしないといけないね」

「そうなんだけど、あの子しつこいからなあ。ちょっと困ってるんだ」

まるで遊び人の男の言葉だった。弟子になりたいとか、カッコいいとか、邦彦はわけのわからないことをいっていたが、ぼくはきみの肩をたたいた。

「ちょっと、耳貸して」

きみの耳元で囁《ささや》いた。

「どうせ美丘のことだ。キスだけじゃないんだろ」

きみはぼくと麻理を交互に見ていう。

「なんだ、太一くんは勘がいいな。まあ、ちょっとショーツのなかにも手をいれたかな」

ぼくはもうなにもいえずに、首を横に振って麻理を見た。麻理はかすかに目の縁を赤くして、表参道のケヤキ並木を眺めている。すっかり葉の落ちた枝先は、痛々しいほど裸だった。ぼくはちえみという女の子の華奢《きゃしゃ》な手足を思いだしたが、そこから先は想像力にストップをかけた。

11

数日後、ぼくは麻理といっしょに高層建築の校舎をでた。明るく晴れている分だけ寒い夕方だ。門柱のところにちえみが隠れるように立っていた。しだいに緊張感が高まっていく。ぼくは麻理を見た。麻理もうなずき返してくる。ぼくは勇気をふるって、ちえみに話しかけた。

「今日は美丘はいないんだ。でも、いつものカフェにいけば会えると思う。きみもよかったら、いっしょにこないか」

ちえみが顔をあげた。ほんの何日かで、顔がすっかりやつれている。頬がこけて、目のまわりがくぼみ、痛々しいほど目が光っていた。

「いいんですか。わたしなんかがいっても」

「いいよ。美丘は最近うちのグループにはいったばかりだし。気にしなくてもいい」

麻理も勇気づけるようにいう。

「美丘さんからあなたのことすこしきいたの。たいへんだったね。でも、男の人だって、そういう人ばかりじゃないから」

ちえみはおどおどとぼくを見あげた。なんだかぼくが謝ったほうがいい気がしてくる。男性全体の罪と愚かさのために代表して謝るのだ。きっと何度頭をさげても、償い切れないことだろう。

ぼくたちは三人になって、ゆっくりと青山通りをあの喫茶店めざして歩いた。なんだか病人といっしょに歩いているようだった。ちえみはうつむいたままで、ひどくスローテンポだったのだ。こういうときは自然と、一番遅い人にスピードをあわせることになる。ぼくも麻理も、優しくて上品だった。それがきみとぼくの違いだったのかもしれない。だが、ときに優しさだけでは足りないことがある。

それをその日のうちにぼくは思い知ることになる。

木目の内装のカフェは空席が目立っていた。ぼくたち以外には、遠くのテーブルでひと組のカップルが顔を寄せあうだけだ。

「よう」

最初に声をかけてきたのは、前回と同じ邦彦だ。だが、ぼくと麻理のあとに続くちえみを見つけて、黙りこんでしまった。テーブルのうえには禁止令がでたアイリッシュコーヒーの代わりに、アイスオレのグラスがおいてある。

「美丘はまだきてないみたいだな」

ぼくがいうと、直美が返事をした。

「さっき電話があった。ちょっと寄るところがあるから、遅くなるって」

洋次が椅子をずれて、中央の席をちえみに譲った。

「ここに、どうぞ」

ちえみは小鳥のように椅子にちいさくなってとまった。チェックのネルシャツを着たウエイトレスがいってしまうと、邦彦がいった。

「災難だったね。でも、男もいろいろだから」

ちえみはさげていた顔をあげた。

「いえ、もう彼のことはいいんです。もう問題じゃありませんから」

洋次は力づけるようにやわらかな笑顔を見せる。

「じゃあ、今はなにが問題なんですか。いいたくなければ、いいけど」

ちえみはじっとテーブルの年輪を見おろしていた。しばらくして、口を開いた。声はききとりにくいほどちいさい。

「美丘さん。女の人を好きになったなんていうと、おかしく思われちゃうのかな。自分でもびっくりしました。初めてだったから」

邦彦は目をぐるぐると動かした。麻理が冷凍ビームを浴びせる。ぼくはやつがなにかまずいことをいうまえに、先に口を切った。

「別におかしなことなんてないよ。美丘のほうは、ちょっと変わってるけど」

そのときうしろから声が飛んだ。

「誰が変わってるって」

美丘だった。振りむくと男まえのきみが立っていた。そのときの恰好《かっこう》を、ぼくははっきりと覚えている。紺のダッフルコートにワンウォッシュのスリムジーンズ。髪はキャップのなかに押しこまれて、きみは少年のようだった。

空席に着きながら、きみはいう。

「きれいなものや、かわいいものが好きなのは、別に変態じゃないよ。ちえみもきてたんだ」

麻理がとりなすようにいった。

「わたしと太一くんで、声をかけたの。こんなに寒い日にずっと外にいるのは、たいへんそうだったから」

きみはぶすっとした顔で返事をする。

「別にいいよ。ちえみ、元気だった」

ちえみはクッションのない硬い木の椅子で、さらにちいさくなった。

「うん。ちょっとやせたけど」

きみは彼女を見て、ちらりと笑った。

「ほんとだ。ダイエットすることないのに」

その場にいた全員がおずおずと笑った。きみとちえみの対面の第一章がすんで、ぼくたちはようやくリラックスした。あちこちでいつもの会話の花が咲く。きみはうわの空で、ちえみはテーブルばかり見ていたけれど、それはしかたのないことだった。結局、どんな親切心を発揮しても、好き同士でない誰かと誰かを結びつけるなんてできないのだ。

十五分ほどして、みんながその場の空気になじみ始めたころだった。いきなりちえみが叫んだ。

「もう、こんなの嫌」

蹴るように席を立つと、重い木の椅子がきしんだ。ちえみは丸襟のブルゾンのポケットに手をいれた。再びあらわれた右手には、薄手のカッターがにぎられている。チキチキと鋭い音が耳にさわった。木の内装のカフェのなかで、金属の刃先がひどく場違いだった。ちえみは高い声で叫んだ。

「わたし、ほんとに嫌になった。男の人も、女の人も、誰もわたしのことを、大事にしてくれないし、愛してくれない。こんなのじゃ、生きていてもしかたないよ」

ぼくたちはみなしびれたように動けずにいた。目をいっぱいに開いて、ちえみを見あげるだけだ。ちえみは酔ったように続ける。

「それに、わたし昔から思っていた。歳を取って、醜くなるまえに死んだほうがいいや。しわくちゃのおばあちゃんになるなら、かわいいうちに死んだほうがいいって」

そのときだった。ぼくのとなりにいたきみが全速力で動いたのだ。それは春の嵐のようだった。きみは椅子から飛び立つと、目にもとまらぬ速さで手を振った。最初にカッターをもったちえみの右手を払う。金属の刃は光りをこぼしながら、床の隅にすべっていく。きみの手はとまらなかった。

「バカじゃないの」

つぎのスウィングはちえみの顔の高さだった。腕を振ると、細かな血のしぶきがあたりに飛び散った。破裂音をあげて、きみはちえみの頬を張った。なすったような血の跡が、ちえみの顔にななめに残る。

「だいじょうぶ、美丘さん。その手」

麻理がそういったが、きみは床に点々と血のしずくを落とす右手を気にもかけなかった。カッターを払ったときに切ったのだろう。きみは静かにいう。

「誰かに振られたくらいで、死ぬなんていうんじゃないよ。男とつきあってるときは、べったり男に依存して、わたしがちょっと優しくすると、今度はわたしを頼る。そういうのすごくうざったいんだよね。わたし、ちえみのこと、かわいいと思うよ。でもね、わたしは自分の足で立って、自分で目的を決めて歩く人以外とはつきあわないの」

きみは一歩まえにでて、ちえみのすぐ正面に立った。

「ちえみ、さっきなにいったかわかってるの。歳を取ってぼろぼろになるの、カッコいいじゃない」

きみは両手でちえみの頰をはさんだ。顔を寄せて、唇と唇のキスをする。直美が息をのんで、邦彦が手をたたいた。きみはちえみから離れて、さっと笑顔を見せた。

「死んだら、こんないいことだってできなくなるんだよ」

「ごめんなさい」

ちいさな声でそういって泣きだしたのは、ちえみだった。きみは麻理がさしだしたハンカチを受けとって、右手に巻いた。ちえみの肩に手をおく。

「ちょっと送ってくる。今日はこれで帰るから。そうだ、麻理さん、これ、ありがとうね」

血の染みた右手をあげて笑ってみせた。きみとちえみは、そのままカフェをでていった。邦彦は感心したようにいった。

「美丘ってさ、男だったら、ものすごくもてたんじゃないか。カッコいいもんな」

麻理は冷たく笑って、邦彦を横目で見た。

「あら、今だってあなたよりは、もてているみたいだけど」

いつもよりひとり足りないぼくたちは笑った。なにか大切なものが欠けている気がしたのは、きっとみんな同じだったと思う。きみはほんの数ヵ月で、うちのグループにはなくてはならない存在になっていた。

その時点では、ぼく個人にとっては、まだきみはそういう人になってはいなかった。けれど、美丘、ぼくがきみを好きになる季節が、まもなくやってくる。

春のきみを思いだすと、今でもぼくの胸にはあたたかな思いがあふれるのだ。

ぼくときみの十三ヵ月、季節は矢のようにすぎる。

12

都会では街をいく女の子のファッションに、どこよりも早く季節はやってくる。みんな三月初めの寒さをがまんして、買いこんだばかりの春の新作を着ているのだ。レモンイエロー、ソーダブルー、リーフグリーンにラベンダー。あの春はカラフルなパステルのカーディガンが流行《はや》りのようだった。

やわらかさを増したビル風のなか、若い女の子がおろしたての服に胸を張って、キャンパスのなかを歩いている。日ざしはきらきらとガラスの砂粒のように流れ、女の子の足元を照らしている。ひとりひとりにスポットライトがあたって、誰もがとてもきれいに見えるのだ。

恋を始めるには、春が一番いい季節だとぼくは思う。夏はがつがつしすぎる。秋はちょっと寂しい。冬では気もちも身体もかじかんでいる。でも、春にはなにかが動きだす予感と理由のない幸福感がある。長い冬にもなんとか耐えた。季節の新しいサイクルが始まって、自分にだってなにかいいことがやってくるかもしれない。

あの春、ぼくはそんなふうに思っていた。そろそろ本ばかり読んでいないで、恋でもしてみようかな。身体の奥がむずむずして、じっとしていられない気分だったのである。よく覚えているだろうけど、その恋の対象はきみ、峰岸美丘ではなかった。きみよりも背が高く、スタイルがよく、美人で、おまけに成績もずっとよかったうちのグループの氷の王女だ。

麻理には年明けに、なぜかマフラーをプレゼントされていた。端にユニオンジャックがついた紺のマフラーには、純銀のおおきな安全ピンが刺さっていた。麻理の家は金もちで、お嬢さん育ちなので、気軽に男子にもそんな贈りものをするのだろう。初めのうちはそんなふうに軽く考えていた。

でも、六人で集まってカフェでひま潰《つぶ》しをしたり、図書館で勉強したりするときなど、ぼくは麻理の視線を微妙に感じるようになった。黒髪のした、切れ長のおおきな瞳《ひとみ》が、ぼくを見つめている。気がついて目をあわすと、麻理はなんでもないというふうに穏やかに視線をそらす。そんなことが重なって、鈍感なぼくも麻理の気もちがわかるようになった。

そこで、ぼくは冷静に考えた（恋を始めるまえに「冷静に考える」なんてところが、ぼくの欠点である）。麻理のような女の子とつきあったら、きっと幸福になれるに違いない。よく気がつくし、頭もいい。会話も楽しいし、きれいでおしゃれだから、見ているだけで幸せな気分にもなれるだろう。自分ではまだ彼女のことを好きだという確信はもてずにいたけれど、たぶんつきあっているうちに、その確信もほんとうの恋心も生まれるに違いない。ぼくは冷静にそう判断して、麻理とつきあうことに決めた。

恋は頭でするものではない。三ヵ月後にぼくは、そう思い知ることになる。結果はきみもご存じのとおり。ぼくは麻理をひどく傷つけることになり、最悪の振りまわしかたをしてしまった。でも、ぼくはあのときの判断が間違っていたとは思わない。麻理とつきあうのは、ほとんどの男にとって、幸福への近道である。それはきみがいったとおりはずれることのない宝くじみたいなものだ。

ただ、ぼくのまえにはあたりくじさえ破り捨てずにはいられないほどの人があらわれてしまった。くやしいけれど、それはきみだ。

その日、春風に背を押されるように、ぼくは表参道をウインドウショッピングしていた。なにか気のきいたお返しを、麻理に贈るつもりだったのだ。ぼくはほとんど女の子にものを買ったことはなかったので、これはなかなかの難問だった。

街には新しい装いがあふれ返るようだった。もう三月もなかばである。もらったのはマフラーだけど、なにか春ものがいいだろう。けれど、ぼくは女性のファッションにはまるで詳しくない。石垣のような壁面に切られたポール・スチュワートのウインドウをのぞきこんでいると、きみに肩をたたかれた。

「太一くん、なにしてるの」

あわてて振り返った。パステルカラーの街に、きみは得意の黒革のライダースで立っている。

「なんでもない、ちょっと探しもの」

きみはいい獲物でも見つけたように、にやりと笑った。ショーウインドウに目をやる。

「女ものスプリングコートに、ハイヒールとバッグかあ」

すべて明るいミントグリーンでコーディネートされたディスプレイだった。きみはさらに邪悪に笑った。

「なんだよ、美丘」

「なんだよじゃないでしょう。太一くんはこれから女の子のためのプレゼントを買う。相手はたぶん……」

きみは名探偵のように腕を組んだ。目を細めて、ぼくを見る。知っているだろうか、そんなときのきみは、ものすごく憎らしく見えるのだ。

「麻理さんでしょう」

どうせ隠してもすぐにばれるのだ。うちのグループ六人のあいだでは、噂は光速で広がる。

「そうだけど、それがどうしたっていうんだよ」

無邪気な笑顔になって、きみはいった。

「おめでとう。うちのグループのなかで、一番まともな男子が一番きれいな女子とつきあうんだから、わたしは祝福するよ。ずっと麻理さん、太一くんのこと好きだったのに、ぜんぜん気づかなかったでしょう。わたし、太一くんがすごい鈍感か、ほかに好きな人でもいるのかなって思ってた」

きみがそんなことをいうなんて意外だった。いつも好き勝手に振る舞って、他人の恋愛になど関心がないように見えたのだ。

「美丘はいつから麻理の気もちがわかってたんだ」

きみは空に新緑をそよがせるケヤキ並木を背にして、へたくそなウインクをした。

「そんなの、グループにはいってすぐだよ。麻理さんが太一くんを見る目は、ほかの男子を見る目とぜんぜん違うもの」

「そうだったんだ」

「そうだよ。鈍いなあ。好きでもないパンクのCDだって、太一くんのためにがんばってきいてるんだもの。恋する女って、かわいいよね」

ぼくはちえみのことを思いだした。きみが誘惑したせいで、のぼせあがってしまった女子学生だ。

「ちえみさんは、あれからどうしてる」

ひっひっときみは息を吸うように笑った。控えめにいって、ひどく品のない笑い声だ。

「ああ、あの子はほんもののバイじゃないから、新しいボーイフレンドができて、わたしのあとを追っかけてこなくなった。これでひと安心」

春風が表参道の長い坂道を吹きあがって、きみの短いまえ髪を揺らした。友人の恋人に手をだし、失恋したばかりの女の子にキスをする。いつもめちゃくちゃなことばかりしていたが、そのときさきみは磨きたてのウインドウのようにひどく透明に見えたのだ。汚れも傷も曇りもない。自分の欲望に正直に、まっすぐに生きる。ぼくはその強さがまぶしかった。きみは人さし指で、ぼくの胸をつついていった。

「ねえ、どうせ、女の子へのプレゼントなんて、わかんないんでしょう。わたしが飛びきりの選んであげようか」

もうすこしきみと表参道を歩くのも悪くないかもしれない。どうせプレゼントはきみにではなく、麻理のために買う。

「助かるよ。じゃあ、どこを見ればいい」

「ついてきて」

きみは行進でもするように表参道の坂道をくだっていく。ぼくはまっすぐに伸びた背中をあわてて追いかけていった。

高級ブランドのおおきな路面店が、ぼくは苦手だった。だいたいこちらよりも仕立てのいいロングコートを着て、金ぴかの扉のまえに立っているハンサムで背の高いドアマンが気にいらない。財布のなかが寂しいひがみもあるけれど、どうも見透かされているような気がするのだ。きみは、シャネルもグッチも素どおりした。ほっとしながら、ぼくはいう。

「あの手のブランドは、見なくていいの」

きみは振り返らずに、背中越しにいった。

「いいの、いいの。どうせ、麻理さんはお嬢さまで、高級ブランドたくさんもってるでしょう。ああいう店で安いの買ってもしかたないじゃない」

「そんなものかな」

「そうだよ。高価でなくても、ちょっとセンスがあるもの。普段づかいができるかわいい小物がいいんじゃないかな」

きみはちらりとぼくに振りむき、また悪そうな笑いを浮かべる。

「でも、ちょっとは度胸をつけたほうが、いいかもね」

最初にきみが立ちどまったのは、黒い御影石《みかげいし》張りのブティックのまえだった。それほどおおきな店ではない。ドアマンもいない。半地下になった石張りの階段をおりていく。ぼくは重い足取りであとを追った。そこはひどく高級そうな店だった。

ガラスケースが並んだ店内を、きみはあちこちのぞきながら歩いていった。最初に目にはいった商品は、金のベースに花火のように放射状にダイヤモンドがちりばめてある指輪だった。価格のプレートを読む。五十二万五千円。あわてて目をそらしたぼくに、黒いワンピースの店員が微笑みかけてきた。そこはどうやらパリに本店があるジュエラーのようだった。きみはケースの縁にひじをついて、ぼくを呼んだ。

「ねえねえ、太一くん。ちょっとこれ見て」

なるべく店のなかの空気を動かさないように慎重に移動した。ぼくが見たものと同じデザインの指輪だが、こちらはリングの厚みが半分ほどだった。きみは慣れた調子でいった。

「すみませーん。この指輪見せてください」

ぼくはきみの耳元で囁《ささや》いた。

「どうするんだ。そんなのとても手がでないよ」

きみはぼくを見あげて、かすかに笑った。

「いいの、いいの。きれいなものを見るのも、センスを磨く勉強だよ。買うのはちゃんと働いて、自分でお金を稼ぐようになったらでいいの」

にこやかに笑いながらやってきた美人の店員が、鍵《かぎ》をつかってショーケースを開けてくれた。ひっつめの額が陶器のように光っている。肌をこんなふうに光らせる特殊な化粧水でもあるのだろうか。彼女は黒いビロードのトレイに、うやうやしく花火のリングをのせる。きみは金の指輪を手に取るといった。

「彼が今度の誕生日にエンゲージリングを買ってくれるんです。これなんか、すごくかわ

「いいなあ」

ぼくは息をのんでうなずき、価格のプレートを見た。三十六万七千五百円。

「あら、それはうらやましいですね」

きみはこちらを振りむいて、黙っているぼくに軽くひじ打ちした。

「どう、この指輪」

「いいね、すごく。値段もだけど」

きみは自分の薬指に金のリングをはめて、ダウンライトで埋まった天井にかかげてみせる。ダイヤモンドが光りをきらきらと散らした。

「けっこう似あうみたい。ねえ、わたし、これがいいかなー」

困っているぼくを見て、きみは笑った。男だったら、なぐっているかもしれない。指輪をトレイにもどすという。

「これ、第一候補にしておきます。もうすこし、いろいろ見たいので、また」

「ぜひ、またいらしてください。ご婚約おめでとうございます」

きみはダイアナ妃のように微笑み、黙ったままでいる。しかたなく、ぼくが返事をした。

「ありがとうございます」

ぼくたちは熱愛中の婚約者の振りをして、腕を組んでブティックの階段をあがった。

広い遊歩道にもどると、ぼくは叫んだ。

「いったい、どういうつもりなんだ。ぼくは学生だぞ、あんな何十万もする指輪買えるわけないだろ」

「そりゃあ、太一くんみたいな貧乏学生には無理だよ。でもさ、これでつぎの店にはいっても、そんなにビビらないですむでしょ。だって、あそこは表参道でも一番高い店のひとつだもん」

それはそうだろう。ぼくたちが見たリングは、あの店では安価な品なのだ。指輪やネックレスに腕時計、どれも数百万円を超えるものがたくさんあった。あきれて黙ったぼくをおいて、きみはさっさと歩きだした。

「さあ、つぎいこう、つぎ」

ぼくはため息をついて、異常に元気なきみのあとを追った。

13

ぼくたちはそれからつぎつぎとブティックのはしごをした。この世界には、美しいもの、かわいいもの、気のきいたものが無数にあるのだとぼくはあらためて納得した。すべての商品は金銭との交換を熱烈に待っている。

表参道をくだり、ラフォーレ原宿のなかをワンフロアずつ見てあがる。きみにもぼくにもいくつかプレゼントの候補が見つかったけれど、決定打になるようなものはなかった。ビル内のカフェでひと休みする。窓からは交差点の春色の人波が見えた。遠くのテーブルでは、テレビで顔を見たことのあるデザイナーがおおきな声で話をしている。

「なんだか女の子にプレゼントを買うのって、ものすごくたいへんだな」

きみはカプチーノをすすっていった。

「それはそうだよ。きっと麻理さんだって、太一くんにマフラー買うために、足を棒にして歩きまわったと思うよ」

ぼくは誰かとつきあうということを考え直していた。

「こういうのは面倒で、あまりぼくの趣味じゃないな。いちいちプレゼントしたり、気をつかったり。そういうのでなくて、もっと自然に、変に力をいれたりせずに女の子とつきあえないものかな」

「あのさ、最近の男子って、みんなそういうんだよね。恋をするときでも、楽ばかりしようとする。自分を変えたくない、新しいことはしたくない。それなのに、Hだけはしたがるんだから、たちが悪いよ」

いつものようにずけずけときみはいった。自分のことをあらためて考えると、きみのいうことの半分以上はあたっているようだ。黙っているときみはいう。

「麻理さんは、ほんとにいい子だと思う。太一くんにはできすぎだよ。あんな子にほれられるなんて、宝くじにあたったようなものなんだから、大事にしてあげないとね。さあ、もうちょっと探そう」

ラフォーレをでて、渋谷方面にむかって歩きだした。空には夕方の光りが流れ、雲は縁取りを黄金《こがね》色にしている。風は生ぬるく、きみとぼくのあいだを抜けていった。遊歩道をすすみながら、きみはぼくを見あげる。風がきみの額をのぞかせてくれた。

「春がきたーって感じだね。空気、やわらかーい」

そのときどんなふうに自分が見えたか知らないだろうからいっておくと、きみはほんとうに胸が痛むほどかわいかったのだ。ぼくが困って目をそらすと、きみはチャイナドレスの飾ってある店を指さした。

「ここ、見てみようよ」

ヴィヴィアン・タム。どこの国のデザイナーだろうか。ぼくの知らない名前だった。刺《し》繍《しゅう》のはいったカットソーやドレスが、白いアクリルの店内にゆとりをもっておかれている。すごく静かで、洋服の遺体展示場のようだった。ぼくたちはアクセサリーが並ぶガラスケースを肩を寄せてのぞきこんだ。

なぜかはわからない。でも、探していたものが見つかったときは、その瞬間にそうだとわかるものだ。ぼくたちはケースのまえで目を見あわせた。

それは銀のネックレスだった。リングにT字型の金具をとおしてとめるようになっていて、うねるドラゴンのペンダントトップがついている。価格は二万円をちょっと切るところ。セーフだ。

「この銀のドラゴンに決まりだね。麻理さんて、アジアンビューティって感じだし、ちょっとワイルドでいい感じ」

「ねえ、またお店の人に声をかけてくれないか」

「ダメだよ。今度はちゃんと自分で買うんだから、堂々として」

しかたない。ぼくはチャイナドレスにジーンズをあわせた店員に、緊張しながら声をかけた。ネックレスを見せてもらう。きみは取りあげると、にっと笑っていった。

「今日はこんなにつきあったんだから、先にしちゃってもいいよね」

黒革のライダースのうえから、銀のネックレスをかけた。意外にワイルドで、男っぽいデザインなのだ。店員がぼくより先にいった。

「お客さま、とてもよくお似あいです」

実際にすごくきみにあっていたのだ。

「それをください。プレゼント用なので、リボンをかけてもらえますか」

チャイナドレスの店員はぼくたちを見て、にっこりと笑った。どうやらつきあい始めたばかりのカップルにでも見えたようだ。彼女がレジにむかうと、ちいさな声でいった。

「なんだかぼくたちは、どこの店にいっても恋人同士に間違われるみたいだ」

壁に張られた鏡のなかには、ライダースにジーンズのミニスカート、黒いブーツのきみと紺のダウンジャケットにジーンズのぼくが立っていた。なんだかよく似たテイストの恰《かっ》好《こう》だった。きみは手を伸ばし、ぼくのポケットにいれる。

「別にかん違いされても、それはそれでいいじゃない」

きみはふざけて、ぼくの肩に頭を寄せた。なにをあわてているんだろう。ぼくは不思議に思いながら、鏡のなかでかすかに頬を染める自分自身を見た。

「お客さま、会計お願いします」

ぼくは内ポケットの財布を探り、ため息をついて姿見のまえから離れた。

14

翌日は何度目かの春の嵐だった。キャンパスの木々は枝先をしならせ、なんとか強風に耐えている。昼休みのミルクホールは動物園のようなにぎわいだ。ふたつの丸テーブルを寄せて、ぼくたち六人はAとかBの定食を片づけていた。あそこでたべるものは、なぜかどれも食事ではなく、ただの燃料補給に思える。先にすませて、ミルクティをのんでいる麻理に、ぼくはいった。

「ねえ、ちょっといいかな」

麻理はうれしそうに驚きの顔をした。きみとは違って上品だから、そんな顔がよく似あうのだ。きみはぼくを見て、がんばれという調子でウインクする。ショルダーバッグを椅子の背から取って、窓際の明るい場所に移動した。麻理がついてくる。

「どうしたの、太一くん」

麻理は窓を背にして立った。背後では春の嵐に樹木の緑が裏返っている。ベージュのスエードのテイラードジャケットに、白のカーゴパンツ。麻理はいつものモデルのようなスタイルだ。ぼくはバッグから、赤いリボンのついた包みをだした。

「これ、マフラーのお礼。なかなかいいのが見つからなくて、すごく探しちゃった」

麻理の表情の変化はスローモーションだった。目がおおきく見開かれ、頬がバラ色に染まる。胸のまえで手をあわせ、まあと丸く唇を開けていう。なんだか映画でも観ているみたいだった。

「ありがとう。開けてもいいかしら」

うなずいた。昨日まではあんなに面倒だったのに、あげるときにはプレゼントもいいものだとぼくは思い直していた。きれいにマニキュアの塗られた桜色の爪が、リボンを取ってシールをはがした。ふたを開けると、銀のドラゴンがかすかにななめになっていた。

「素敵」

ミルクホールのざわめきが遠くなっていく。麻理はネックレスを首にとめた。うわ目づかいで、ぼくを見る。麻理は美人だから、そのネックレスは悪くなかった。けれど、ぼくはどこか違和感をもったのだ。ぎこちなく笑って、麻理にいう。

「似あうよ。麻理なら、なにをつけても似あうけど」

うれしそうに微笑んで、麻理はいった。

「こういうのほしかったんだ。わたし、あまりワイルドな感じのアクセサリーってもっていないから。どうもありがとうね、太一くん」

「いいよ。プレゼントのお礼だよ」

「こんなお礼をもらえるなら、また新しいプレゼント探そうかな」

ぼくは麻理と笑って話しながら、必死になっていた。銀のドラゴンは彼女にはフィットしていなかった。確かにとてもきれいな人だから、アクセサリーとしては悪くない。でも、前日にきみが首にさげたときのような勢いがない。きみがしたときは、竜がうねって空にむかい飛び立ちそうだった。麻理の首にさがった銀のドラゴンはただの鋳物《いもの》で、きみのときにはちいさいけれど火を吐く生きものだった。

麻理といっしょにみんなの待つテーブルにもどったとき、ぼくの心はあせりでいっぱいだった。きみは放心状態で腰かけたぼくに、またウインクをしてみせた。

「やるじゃない、太一くん」

洋次と邦彦は檻《おり》のなかのサルのような叫び声をあげる。ひゅーひゅー。このときから、ぼくと麻理はうちのグループのなかでは、正式に交際中ということになった。ぼくのとった行動は決定的だ。邦彦がいった。

「やったな。うちのグループで初のカップルができたよ。太一は本ばかり読んでて、奥手だと思ってたのにな。決めるときは決めるな、こいつ」

邦彦の手がぼくの髪をくしゃくしゃに乱す。ぼくはぼんやりと考えていた。始まりは単純な気もちだった。春だし、そろそろ恋でもしようかな。どうやら好意をもってくれる美人も近くにいる。冷静に考えて、そう悪い相手でもなさそうだ。ぼくは決定的に間違っていた。そんなふうに頭で考えて、誰かを好きになることなどできるはずがなかったのだ。

恋に計算はいらない。ぼくたちの心は、決して頭のいうことなどきかない。恋をしたり、人を好きになるのは、心の奥深く、自分でも見ることも理解することもできない場所で起こるひそかな変化だ。

ぼくは今でも考えることがある。もし、あのまま麻理のことを好きになり、普通につきあっていたなら、これほどの悲しみに打たれることはなかっただろう。同時に誰かを心の底から愛するということを知らずに一生を終えたかもしれない。

ぼくは無邪気に新しいカップルを祝福するきみが、すこしだけ憎らしかった。恥ずかしそうに目をふせて、ときおり麻理はぼくのほうを見る。

このあと二カ月かけて、ぼくはきみより遥《はる》かに美人とつきあいながら、心をきみのほうにゆっくりとかたむけていくことになる。

憂鬱《ゆううつ》な春の始まりだ。

15

四月は裏切りの季節だった。

あれからまだ一年もたっていない。けれど思いだそうとすると、薄く濁った春の空のようにすべてが青く煙って見えるのだ。その中心にはきみとぼくと、ぼくがひどく傷つけることになる氷の王女がいる。

あれが冬の一番寒い時季だったらと、今も思うことがある。灰色の凍った季節なら、まだ誰かを傷つけることが似あうような気がするのだ。だが、穏やかに晴れたあたたかな春の午後には、人をあざむくのはふさわしくない。二重底になった心や、引き裂かれた好意は、のんびりした春の風物ではない。

つきあい始めたカップルの多くと同じように、麻理とぼくはあの春毎日のように何通もメールを打ちあい、それでも足りずにキャンパスのどこかで顔をあわせていた。話すことはいくらでもあった。というより沈黙が怖くて、むやみにたくさんの言葉をつかっていた気がするほどだった。

あらたまったデートというのはあまりしなかった。でも、麻理とぼくは短いあいだにずいぶんあちこちにでかけた。参考書を買いにいった神保町《じんぼう》の書店、渋谷や新宿の映画館、表参道や原宿のショッピング。麻理の家から歩いていけることもあって、六本木《ろっぽんぎ》ヒルズの展望台にものぼった。砂のように撒《ま》かれたたくさんのビルと、遠くに鉛色に沈む東京湾が見えた。

いっしょにいるときの麻理は完璧《かんぺき》だった。長身の姿勢はいつもただしく、化粧にもすきはなかった。ファッションは高価で上品だが、それが前面にでてくることはない。流行の洋服に着られてしまう女の子は数多いけれど、麻理は洋服を着こなすことを知っていた。きっと努力して身につけたのではなく、生まれつきわかっていたのだろう。自分自身のキャラクターを補強するために趣味のいい組みあわせをつくり、それをていねいに着る。そして、あとは服装など忘れて自然に振る舞えるのだ。

女性として恵まれた容姿をもって生まれた人が、同じく恵まれた環境に育つとどんなふうな傑作になるのか。ぼくは麻理という女性をとおして、なにか得がたい生きものでも観察しているような気分になることがあった。きみと違って麻理は、完成した作品のようだった。彼女はなぜかぼくのことを気にいってくれたけれど、ぼくの麻理への好意は冷静なものだった。ぼくは思うのだけど、傷ひとつない人を愛するのは、やはりむずかしいことだ。自分の不完全な手がふれたところから、相手が崩れてしまうような気になる。もちろん、それはすべてぼくの残酷さのいいわけにしかならないのかもしれないけれど。

あの春、ぼくはひどく冷たいボーイフレンドだった。

一日でなにかが変わってしまう日がある。あの日も、無数にあるきみとぼくの記念日の一日なのかもしれない。名前をつけるなら、「血の金曜日」とか「春の嵐の対決」なんかがぴったりだろう。きみらしい激しさだったけれど、麻理とつきあっている限り、そんな過激な記念日などきっと一生縁がなかっただろう。

あれは四月のなかばだった。春の嵐の金曜日、空では灰色の濃淡のちぎれ雲が強風に押されて競走していた。夕方の早い時間から暗くなり、学内の照明はすべて点灯されている。カフェテリアの窓辺で、きみはガラス越しに嵐の空を見あげていう。

「なんか、こういうのカッコいいよね。嵐がくるとわくわくするよ」

その夜は久しぶりにのみ会があった。ほかのメンバーはまだ誰もきていない。ぼくときみは得意の自主休講だ。おもしろくない講義など時間の無駄だという点で、きみとぼくの意見は一致していた。きみは革のライダースで、得意のミニスカートだった。麻理には決して口にしないこともきみにいうのは平気だった。

「あのさ、美丘はなんで、いつもミニなの。脚だって、そんなに長くも細くもないのに」

きみはにっと獰猛《どうもう》に笑った。

「こら、失敬なこというな。どうせ、わたしは麻理さんみたいにきれいな脚はしてないよ。あのね、脚は形の問題なんじゃないよ。ちゃんと見せておくっていう心意気が大事。気あいがはいっていれば、そんなに急に太くなったりしないもん」

ぼくはきみと話しながら、なぜこんなに楽なのだろうかと思っていた。ぼくは麻理の脚について軽口などたたけなかった。きみとなら、たいていのことは話ができる。

「そんなもんかな」

「そうだよ。ミニスカートっていうのは、視線の圧力で脚を細くするためにあるの。わたしはこう見えてもけっこう努力家なんだよね」

それからきみはわざとらしくカフェテリアを見わたした。声をひそめていう。

「そんなことよりさ、プレゼントあげて、ちゃんと麻理さんとつきあうようになって、もうひと月近くたつじゃない。太一くんと麻理さん、いったいどこまでいってんの」

きみは手招きをした。ぼくが身体を寄せると耳元でいう。

「もうやっちゃった？」

いたずらっぽいきみの声で、胸が苦しくなった。不思議だった。麻理といっしょだと、心はあたたかくなるが、苦しくはならない。

「やったとかいうなよ。まだだよ」

「太一くんて、わりと奥手なんだね。麻理さんはその気になってると思うんだけど、まだ手をだしてないんだ。へー」

ぼくはステンレスのテーブルからカフェオレを取って、ひと口のんだ。気分が悪くなる。なにが「へー」なのだろうか。第一、ぼくが誰とやろうと、そのときのきみにはまったく関係なかったはずだ。

「ぼくが麻理を大切にしてるとは、考えられないのか。すぐにやればいいってもんじゃないだろ」

きみは行儀悪く空いた椅子に黒いブーツの足をのせた。両手を頭のうしろで組む。

「はいはい。でもね、女の子は大事にされるだけじゃダメなんだよ。ときには甘く傷つけてあげないとね。麻理さんはきれいだから、どこかいっちゃうよ。釣った魚にはちゃんと餌をやらないと」

あきれてぼくはいった。

「セックスが餌か」

「あたりまえじゃない。一番おいしい餌だよ。AV見て、オナニーばかりしてると、本番でインポになるよ」

「ご心配ありがとう。でも、そっちのほうはだいじょうぶだから。こう見えても健康な青少年だよ」

きみはまたカフェテリアを見わたした。今度はほんとうに人がこないのを確かめているように見える。

「このまえさ、麻理さんに相談されたんだ。太一くんはどういう恰好《かっこう》が好みで、セクシーだと思うのかなって」

つぎにへーというのは、ぼくの番だった。

「なんて、こたえたの」

きみはまっすぐにぼくを見つめる。明るい茶色のどこかねじれた瞳《ひとみ》。吸いこまれそうになって、ぼくはあわてて目をそらした。

「そのままでいいんじゃないって。麻理さんなら十分にきれいだから、そのうち太一くんが絶対に飛びついてくる。心配なら、わたしがちょっと試して、レポート書こうかっていった」

「人のことなんだと思ってるんだ。いったいなんのレポートだよ」

きみはにっと笑ってうわ目づかいに、ぼくを見る。

「いいじゃん、Hくらい。別に減るもんじゃないし。一度試せば、身体のどこが好きで、どこが弱いかとか、好きな体位とか教えてあげられるでしょう。麻理さんへの友情の贈りものだよ」

きみは急に話をやめて、椅子のうえからブーツの足先をおろした。

「太一、なに話してたんだ。なんか仲よさそうだったな」

邦彦がぼくの肩をたたきながらそういった。うしろには麻理と直美、洋次もいる。うちのグループのメンバー六人がすべてそろったのだ。麻理はブラックジーンズに黒いシルクサテンのシャツ。まえたてにはフリルがどっさりたたまれて、おまけにボタンはみっつめまで開いている。鎖骨の中央にはぼくがあげたドラゴンのネックレスが誇らしげに揺れていた。きみは邦彦にいう。

「なんだ。もうちょっと時間があったら、太一くんの好きな体位がききだせたのに。ねえ、背面騎乗位だったっけ」

麻理は微笑んでいった。

「それ、どんな形なの。美丘さん、今度教えてね」

きみはぼくのほうを見て笑った。

「それともM字開脚のシックスナインだっけ」

邦彦が右手をあげて宣言した。

「あっ、それ、おれも大好き」

「誰もあんたにはきいてないよ」

窓の外は春の嵐が吹き荒れていたが、ガラスのピクチャーウインドウを一枚はさんだカフェテリアは静かなものだった。その日最後の講義が終わって、ぽつぽつと学生が集まり始めている。ぼくたち六人は声をあげて笑った。こんなメンバーに恵まれているうえに、夜はそのままの流れでのみ会なのだ。天気などいくら悪くなっても楽しみが増えるくらいのものである。

16

嵐の灰色の雲と夕日が空のパレットでかきまぜられて、渋谷の上空は赤黒く濁っていた。

午後六時、ぼくたちはスペイン坂の途中にあるダイニングバーにはいった。流行の個室レストランで、それほど高くないうえに、アルコールと料理のバランスがいい。ちょうど六人用の個室は、なんだか刑務所のような造り。ドアの代わりに鉄格子の扉がついていた。壁は荒く積んだレンガである。きみは木製のベンチに座ると薄暗い天井を見あげていった。

「なんだか、こういうとこ、いいなあ。ねえ、麻理さん、こんな部屋で手とか縛られてやってみたくない」

ぼくは麻理の様子をうかがった。ただ笑っているだけだ。邦彦がきみにいう。

「また、下ネタかよ。美丘って、ほんとは男なんじゃないの」

きみはとなりに座るぼくの肩をつついた。

「違うって。みんな口にはしないけど、女の子の頭のなかだって、やらしいことがどろどろに詰まってるんだよ。あんたたちみたいなオスガキには、想像もつかないくらいすごいこと考えてるんだから、女の子ってさ。ねえ、麻理さんもそうだよね」

いきなり振られて、全員の視線が麻理に集中した。麻理は余裕でこたえる。

「そうね。すごいこと、いっぱい考えちゃうかな。とくに酔っ払ったりすると」

意味深にウォッカトニックのグラスを、ぼくのほうにあげてみせる。

「ほら、今夜は麻理さん、酔いたい気分だってさ。がんばってね、太一くん」

直美がテーブルの端で声をあげた。

「もう、みんな、信じられない」

邦彦が立ちあがった。グラスをあげて、その夜何度目かの乾杯を求める。

「いいから、いいから、頭のなかでやらしいことばかり考えてる、かわいい女の子たちに乾杯」

「信じられない」

直美はひとりでそう叫んでいたが、みんなの乾杯には参加した。きみはにやにやと笑って、ぼくと麻理を交互に見ていた。麻理はじっと絡みつくような視線をぼくに投げてくる。黒シャツの胸の開きがいつもよりずっと深い気がした。それとも、その夜の麻理はそんな気分だったのだろうか。きみはぼくの肩をこづいて、耳元で囁《ささや》く。

「今夜、麻理さんが勝負下着つけてるほうに、一週間分のランチを賭《か》ける。どう、のらない、この勝負」

ぼくは首を横に振った。なんだか、敗色濃厚な気がしたのだ。どうやって確かめるかという問題もある。そのときだった。鉄格子のむこうから、酔った男の声がした。

「おー、この部屋は美人が多いぞ。ひとりくらい分けてくんないか」

顔をあげて通路を見た。紙のように薄っぺらなスーツに金色の長髪。なんだか人生を投げたような崩れた雰囲気の会社員がふたり、肩を抱いて立っていた。片方がひどく酔っているみたいで、さかんに大声を張りあげてくる。

「黒シャツのネーチャン。美人さんだな、そんなガキとのんでないで、こっちのテーブルきてくれよ」

「むこういきな、酔っ払い。あんたたちみたいな頭悪そうな男には用がないんだよ」

きみは勇敢だった。そう啖呵《たんか》を切るとテーブルのミックスナッツをつかんで、不良サラリーマンに投げつけたのだ。

「なんだよ。このブス。おまえになんか話しちゃいねーんだよ」

「うるさい。女のいないインポ野郎」

ナッツだけでは足りなくなったようだ。きみは空いている小皿やおてふきまで、廊下めがけて投げ始めた。邦彦は鉄格子のところへ動きだそうと腰を浮かせている。ぼくは視線だけで邦彦をとめると、テーブルのブザーを押した。そこはかなり広い店で、どうしても個室のひとつひとつまで、店員の目が届かないのだ。腰のベルトにおもちゃの手錠をさげたフロア係がすぐにやってきた。

「みんなに同じのみものを追加で。あと、そこの廊下にいるお客さんに、自分のテーブルにもどるようにいってください」

若いウエイターは怪訝《けげん》な顔で、廊下の奥に目をやった。先ほどのふたり組が、なにもいわずに立ち去るところだった。きみは背中に追い討ちをかけるように叫んだ。

「この間抜け、麻理さん口説くなんて、十年早いんだよ」

邦彦も叫んでいた。

「百年早いよ。それに美丘は、そこまでブスじゃない」

美丘がナッツを邦彦にも投げて、ぼくたちの緊張はほぐれた。男たちがいってしまうと、話はすぐもとにもどってしまう。嫌な気分などあとかたもなくなっていた。そこからはまた、大学と恋と就職の話だ。間違っても最近読んだ本の話なんかにはならない。読書はいまや時代遅れの趣味なのだ。

17

その夜の幹事は、ぼくだった。男性から四千円、女性から三千円ずつ集めて、レジにむかう。時刻は夜の十時近く。きみはライダースに袖《そで》をとおしながら、横をとおっていく。

「つぎの店、どうする。それとも、麻理さんとふたりでどこかに消える?」

札をかぞえながら、ぼくは背中越しにいった。

「今夜はみんなとつきあう。だって、このあとでなにかあったと思われるのは嫌だ。絶対に美丘はあとでなんかいうし」

「へへ、わかってるじゃない、太一くん。いつかうまくいったら、わたしにも教えてね。じゃあ、お先」

レジがすこし混んでいたので、ぼくが地上に続く階段をあがっていったのは、数分遅れだった。春の嵐のせいか、階段に吹きこんでくる空気も生ぬるく湿っていた。その風にのって、麻理の悲鳴がきこえる。

「やめてー、太一くん」

男の怒声が続いた。どこかできいたことのある声だ。ぼくは一段飛ばしで階段を駆けあがった。さっきの金髪のだらしない会社員の顔が浮かんでくる。心臓がどきどきと荒く鼓動を刻んだ。

「女のまえだからって、カッコつけてんじゃねーよ」

渋谷スペイン坂の裏道に飛びだした。路地の奥にうちのグループがいる。女の子を守るように洋次と邦彦が立っていた。そこに三人の会社員がからんでいる。すでに洋次がなぐられているようだった。三人のうちの大柄な男がひとり、頭を抱える洋次のまえに立って、ガードのすきまから狙いすましたようにごつごつと短いパンチをいれている。

「なにやってんだ」

叫びながら、騒動に近づいていった。こぶしはにぎり締めている。麻理が叫んだ。

「太一くん、やめさせて」

邦彦の両腕を男たちがふたりがかりで押さえつけていた。洋次は一方的にやられているだけだ。三人の汚れた金髪のうち、実際に暴力を振るっているのは、大柄のボス格ひとりだけだった。あとのふたりは、麻理や直美の悲鳴と春の夜の嵐に負けないくらいの声で、もっとやれ、痛めつけろとおおきな男に声援を送っている。

「やめろ」

ぼくはケンカなど、別に強くはなかった。けれど、そのときは不思議と落ち着いた気分だった。ボス格がこちらを振りむいた。目が赤く濁っていた。笑いながら手をあげる。こぶしの角には、洋次の血がなすったようについていた。

「今度はおまえか」

なんとか時間をかせいだほうがいいようだった。男は十センチ以上も、ぼくより背が高い。

「どうして、ぼくたちを襲ったんだ」

男はにやにや笑いをやめない。いつでも、ぼくなどKOできるというつもりなのだろう。

「理由なんかあるか、バカ野郎。おもしれーからに決まってんだろうが。弱いやつを泣かすのは、いつだっておもしれーよ」

頭の悪そうな男だった。歳は二十代のなかばだろうか。

「職場ではいつも、ちゃんと仕事しろっていわれてるだろ。ミスが多いから」

相手が怖くて足が震えているのに、ぼくはいつのまにか軽口をたたいていた。どう考えても、仕事のできそうな男には見えなかったのだ。

「ふざけてんじゃねーぞ」

男は口の端に泡をためて近づいてくる。路地を生ぬるい風が吹き寄せてきた。冷静になれとぼくは自分にいいきかせた。最初の一発はなんとかかわして、いいパンチをひとつだけでもいれてやるのだ。ぼくが両腕をあげて頭を守ったとき、誰かの叫び声がきこえた。

「間抜け、女だからってなめるんじゃねーよ」

きみが叫びながら、駆けてきた。ボス格の男の身体はまだこちらをむいている。上半身だけひねって、きみのほうを見ていた。きみにむかって血のついたこぶしを振りあげる。ぼくは頭を低くさげて、男の腰に飛びついていった。ボスがきみのほうに力をむけるのは、なんとしても避けなければならない。そのとき、ぼくはきみの手のなかになにか灰色の塊があるのに気づいた。

男は腰にしがみついたぼくを振りほどこうと、あせってこぶしの底でぼくの背中を打った。先にこちらを片づけてから、きみのほうにいこうとしたのだろう。男の仲間ふたりはにやにやと笑いながら、ぼくたちの乱闘を眺めている。

つぎの瞬間、ごつんと鈍い音がした。なにか硬いものが骨にあたる音だ。男の身体から急に力が抜けてしまう。ボスはその場に倒れこんでしまった。きみはつりあがった目で、後頭部を押さえてうなり声をあげるボスを見おろしていた。

手のなかには、子どものこぶしほどのおおきさのコンクリートの塊をもっている。どこから拾ってきたのだろうか。きみは吐き捨てるようにいった。

「なにがブスだよ。この間抜け、女をなめるな」

なにをするのだろうか。きみはボスの横に立つと、じっと男の顔をにらんだ。サッカーボールでも蹴《け》るように、しっかりと足を引く。先に鉄のガードがはいった黒いエンジニアブーツの先で、きみは男の口を正確に蹴り飛ばした。そばにいたぼくには前歯が折れる音が直接きこえた。

「おまえみたいな人間のクズ、死んじまえ」

きみは息を荒くしたまま、二回目のプレースキックを男の血まみれの暗い穴になった口に見舞った。残るふたりの男たちは、呆然《ぼうぜん》としてきみを見ている。突発的な、ほんとうに激しい暴力を目撃したのは、初めてだったのかもしれない。きみは男の前歯をすべてたたき折る勢いで三回目のキックの予備動作にはいった。ぼくはきみを背後から羽交い締めにした。

「美丘、もういいんだ。それ以上やったらいけない」

きみは泣きながら叫んでいた。

「放せ、こんなやつ、ぶっ殺してやる」

湿ったアスファルトに血と唾液《だえき》を流す男を、きみはまだ蹴ろうとした。残る男たちふたりが邦彦を解放して、倒れている男のところにやってきた。きみはぼくを振りほどこうとしながら、叫ぶ。

「おまえたち、まだやる気か。そいつみたいに、ぶっ殺してやる」

きみは口からつばを飛ばして、本気で叫んでいた。残されたふたりには、その気はないようだった。恐ろしいものでも見るようにきみをおどおどと見て、倒れた男を介抱する。

「あの女、石でなぐりやがった。頭がおかしいんじゃないか」

きみは男のひとりの言葉をきくと、またぼくの腕のなかで暴れた。

「弱いやつをいじめるのが、おもしれーんだろ。おまえたちとどこが違うんだよ」

麻理がやってきて、そっときみの肩に手をおいた。やじ馬が集まり始めている。渋谷の裏通りが、祭りのような騒ぎになっていた。携帯電話を片手にたくさん男たちが駆けてくる。麻理がきみの耳元でいった。

「ありがとう。もういいよ、美丘さん。もうみんなだいじょうぶだから」

麻理の言葉には魔法のような効き目があった。野獣のようだったきみの身体から、力が抜けていったのだ。直美と邦彦と洋次がやってきた。洋次の片目は腫《は》れてふさがりかけている。ぼくは腕の力を弱めて、きみから離れた。

「今日はもうこれで終わりだ。むこうが悪いのは確かでも、相手はけがをしてる。警察がくれば面倒なことになる。ここで、全員解散にしよう」

邦彦はまだ震えているようだった。

「ばらばらになったら、危なくないか」

やじ馬の誰かが叫んでいた。警察がきたぞ。ぼくは全員にいった。

「カップルになって、逃げよう。麻理、悪いけど、洋次といってくれないか。ぼくは美丘をちゃんと逃がすから」

麻理の目のなかで一瞬、なにかに裏切られたという表情が浮かんだ。夜の路地を背景に麻理の目が、ひどく深く澄んでいる。まだ荒い息をしているきみを見てから、麻理は自分にいいきかせるようにいった。

「美丘さん、まだおかしいものね。わかった、今夜はここで別れましょう。でも、あとで絶対に電話ちょうだいね。さあ、洋次くん、いきましょう」

麻理は洋次の肩を支えるようにやじ馬を分けて歩きだした。きみは目をぎらぎらと光らせて、ぼくにいう。

「わたしならだいじょうぶだよ。あんな男のひとりやふたりやっつけても、なんでもない。ひとりで逃げるから、太一くんは麻理さんといっていいよ」

誰かが鋭く叫んだ。警察だ。

ぼくは強引にきみの手を引いて、スペイン坂の裏町を走り始めた。空はまだ雨を落としてはいなかった。ちぎれた雲が濃紺の空を駆けていくだけだ。つないだ手のあいだになにかが流れているような気がして、ぼくは公園通りにでてもきみの手を放せずにいた。金曜夜の渋谷は、これからが本番のようだった。たくさんの夜の人たちが浮き立つように楽しげに歩いている。

おしゃれな人波を抜けて、春のつむじ風のようにきみとぼくは走った。誰にもぼくたちをとめることはできなかった。ぼくはこのまま、夜が終わらなければいいと思っていた。

東京の街の果てまできみと走り、すべての人間をおいてきぼりにして、ふたりだけで生きるのだ。

裏切りの春はまだ始まったばかりだ。

18

ゴールデンウィークのどこがゴールデンなのだろう。

毎年五月になるとぼくはそう思う。確かに気候はいい。一年で一番いいかもしれない。日が沈んでからも涼しくはなく、夏のような酷暑もなく、梅雨の湿度もない。風はさらりと新緑を揺らし、女の子の髪と乾いた街をすぎていく。

けれど、五月は同時に憂鬱《ゆううつ》の季節である。外の世界があまりにまぶしく快適すぎるのだ。外の世界にあった暗さや重さが、すべてぼくたちの心に割り振られてしまうのかもしれない。五月病の五月、けだるく中途半端な五月。それは同時に、ぼくときみの関係が初めて目に見えるスタートを切った時季でもある。きみとすごした十三ヵ月の怒濤《どとう》の後半戦が開始されたのだ。

記憶のカメラはあの夜明けの場面へゆっくりズームインする。朝焼けに全身を濡《ぬ》れたように染められていた六人。きみもまだ覚えているだろうか。すべてが始まったあの夜明けだ。

黄金の一週間、ぼくたちは旅行にいくことになった。

といっても、うちのグループはそう熱心だったわけではない。春の長い連休には仲のいい友人と旅行などをするものだ。なんとなく大学にそんな空気があり、しかたないからどこかにいくかという雰囲気になったのである。いってみれば、グループの結束を証明するためのアリバイづくりの旅である。

五月最初の火曜日、ぼくたちは麻理の家に集合した。時刻は朝の五時。早朝の空は磨いたばかりの窓のように澄んでいた。西麻布の街は高価な無人の撮影用セットだった。きみはよだれを垂らしそうな顔で、銀色の車を見つめている。

「ねえねえ、このメルセデス、あとでわたしにも運転させてね」

排気量が五リットルもある巨大なセダンは麻理の父親のものだ。普段は通勤に使用しているらしいが、無理をいって借りたらしい。その麻理はめずらしくスポーティなファッションだった。ショート丈のベロアのジャージにスリムなカーゴパンツ。色はうえが緑でしたが白。そのへんの女性誌の読者モデルなんか比較にならないスタイルだ。麻理は怪しそうにいう。

「美丘さんて、運転うまいの」

　きみはへへっと少年のように笑った。ボーダーのシャツにダメージジーンズ。あまり背は高くないほうだから、だぶだぶのファットなパンツはやめたほうが、バランスはいいと思うのだけど。

「もちろんばっちり。こんなにおおきくて速い車は運転したことないけどさ」

　麻理はあきれてぼくにいった。

「太一くんは、運転どう」

　ぼくは首を横に振った。

「ぜんぜんやってない。むこうに着いたら、試してもいいけど、東京じゃ無理だ」

「困ったなあ」

　きみはいはいっと手をあげていった。

「困ることないじゃない。わたしがやるって」

　メルセデスのうしろにとまっているのは、空豆色の日産マーチだった。横浜ナンバーは邦彦の車である。マーチからおりてきた洋次に麻理がいう。

「洋次くん、こっちの車、運転してくれない」

　洋次はトランクについた数字を眺めてからいった。

「いいよ。メルセデスは慣れてる。うちのはE300のステーションワゴンだけど」

きみはなにもないアスファルトを蹴飛《けと》ばした。

「なんだよ、金もちは嫌味だな。じゃあ、わたしが助手席にのるね。どうせ太一と麻理さんは手でもつなぐから、となりのほうがいいでしょ。うしろの重役席に座ればいいじゃない」

それで席割りも決まった。マーチには邦彦と直美。メルセデスには残りの四人。エンジンのパワーからしたら、ちょうどいい配分かもしれない。朝の五時すこしすぎ、ぼくたちは都心の住宅街を出発した。

首都高速もさすがにこの時間にはまだ渋滞はしていなかった。高樹《たかぎ》町でうえにあがり、新宿をめざす。朝の光りのなか東京のビル群は、完璧《かんぺき》に製作された未来都市の模型のようだ。ガラスとコンクリートのあいだには、意外なほど新緑の木々がのぞく。都心は緑が多いのだ。車中では上品とはいえない会話がはずむ。きみは黒革のシートをなでながらいった。

「わたし、こんな高級車のるの初めてだな。このシートだけでいいから、うちの部屋にほしいくらいだよ」

それはぼくも同じだった。たぶん一生がんばって働いても、一千万円を超えるような自動車など手が届かないことだろう。別にくやしくはなかったけれど。ぼくは自動車にはこだわりはなかった。麻理の父親の好みなのだろうか。CDチェンジャーにはモーツァルトの弦楽四重奏曲がはいっていた。馬がギャロップするような軽やかな開始。十七番の「狩り」だった。

「ああ、わたしも金もちの家に生まれたかった。それにもうすこし背もほしかったなあ」

麻理はにっこりともてる者の笑顔を見せる。

「美丘さんみたいに、ちいさくてかわいいのが、わたしは昔からあこがれだったけどな。そういうのいいと思わない、太一くん」

麻理の身長は百七十近くあった。美丘は十五センチはちいさいだろう。

「洋服を選ぶとき以外は、背の高さなんて関係ないんじゃないかな」

ぼくが適当にこたえると、運転しながら洋次がいった。

「そうだね。その人がよければ背の高さはあまり関係ない。女の子だって、背の高さで男は選ばないだろう」

美丘がとんでもないという調子でいった。

「わたしは背の高さでも、顔でも、Hのうまさでも、男を選ぶよ。なんでもいいってわけにはいかないもん。女は選ぶよね、麻理さんだってそうでしょ」

豪勢なシートで麻理はぼくを見た。意味ありげに笑っていう。

「そう。やっぱり選ぶ。この人、素敵だなあと思わなければ、つきあえないから」

するんだ」

「やっぱ、そうだよね」

それから麻理はぼくを手招きした。身体を寄せると、耳元で囁《ささや》く。

「わたし、今回の旅行のあいだにしようって決心したことがある。絶対に太一くんとキスするんだ」

きみは助手席から振りむいて、ぼくたちを見た。

「ねえ、うしろのふたり、なにかやらしいこと話してるよ」

モーツァルトは第二楽章のメヌエットに替わった。ぼくはそ知らぬ顔をして、動き始めた街を眺めた。車がトンネルにはいると窓ガラスに麻理の顔が映る。ぼくの背中をじっと見つめるすこし悲しげな顔。それは夏から秋にかけて、ずっと麻理の顔の基調になる表情だった。ぼくはハイドンセットにはいったもうひとつのカルテットの題名を思いだしていた。

「不協和音」

それがその曲の名だ。

新宿をすぎ、中央自動車道にはいって、鏡のうえをすべるように七十五分。メルセデスは銀行の地下金庫のように安定していた。モーツァルトはいかさないというきみは、パティ・スミスの古いCDをかけた。「ビコーズ・ザ・ナイト」が鳴りだして、ぼくのひざは思わずリズムをとってしまった。麻理はいう。

「太一くんはやっぱりこういうパンクみたいな音楽が好きなんだ」

ぼくはリズムをとるのをやめていった。

「パンクもモーツァルトも好きだよ。音楽にはジャンルなんてないんだ。いい音楽は全部いっしょだ」

「おーおー、カッコいいこといっちゃって。本ばっか読んで、そういう口先ばかりで女の子を口説いてると、そのうち地獄に堕《お》ちるから」

ヘッドバンギングしながら、きみがいった。

「ねえ、そろそろ高速をでるでしょう。あとは車のすくない田舎道なんだから、わたしにも運転させてよ」

洋次が麻理にいった。

「どうする」

うなずいて、麻理は踊るきみを見た。

「いいよ。でも、安全運転でね」

東富士《ひがしふじ》五湖《ご こ》道にはいるまえの最後の休息所で、洋次ときみは運転を代わった。時刻はまだ七時まえで、ようやく太陽が高くのぼってきたところだ。ぼくたちのうしろにマーチがやってきて、運転席のウインドウがさがる。邦彦が陽気にいった。

「どう、おれたち、婚前旅行にでかけたカップルに見えない」

となりで直美が悲鳴をあげた。

「さっきからクニったら、セクハラ発言ばっかりしてるの。わたしも、こんなちっちゃいのじゃなくて、麻理の車に移りたい」

「なんだよ、おれひとりは嫌だよ。美丘、直美と交代するか」

きみは缶いりのジャスミン茶をのみながらいう。

「嫌だ」

あまりにそっけなくて、タイミングがよかったので、ぼくたちは大笑いしてしまった。

「シートベルトはしっかり締めてね」

きみは慣れないメルセデスのシート調整を終えると、後部座席のぼくたちを見た。ハンドルを微妙に左右に振りながら、休息所のパーキングエリアを発進する。

「ふーん、ハンドル、がしっとしてるなあ」

中央道に合流するランナウェイにはいるときみはいった。

「いくよ」

アクセルを一気に踏みこんだ。背中が黒革のシートに押しつけられる。ほんの二秒ほどで、百キロ近くまでメルセデスの巨体は加速する。

「ちょっと、美丘さん」

麻理が声をかけたが、きみはさえぎるようにいった。

「だいじょうぶ。この車の力と癖を見てるだけだから」

本線に合流すると、きみはまわりにほかの自動車がいないのを確かめてから、何度かレーンチェンジを繰り返した。ハンドルの動きはシャープだが、銀のセダンは鬼のようなスタビリティで追随する。

「うわー、やっぱりすごいや。この車おもしろいね。なにをやっても、全部自動車のほうで無理を吸収しちゃうみたい。加速だってゴーカートみたいだよ」

「冗談じゃない。うしろの席は大揺れだ」

洋次が驚いた顔できみを見ていた。

「美丘って、運転うまかったんだな。さっきから自分でギアを選んでシフトしてるし」

「へへっ、あたりまえじゃない。わたし、スピードのあるものはなんでも好きなんだ。十八歳の誕生日に教習所にいったくらいだからさ」

東富士五湖道をほんの十分足らずドライブして、山中湖《やまなかこ》インターチェンジで一般道におりた。湖を周回する道にはいる。新緑のにぎわいのむこうに、水面が銀の日ざしを散らしていた。麻理はいう。

「あーあ、着いちゃった。午前中はうちの別荘の大掃除だから、みんな覚悟してね。古いからあちこちガタがきてるの」

きみはのろのろと走る軽トラックを、一瞬で抜き去っていう。

「ぼろでもいいじゃない。別荘なんてものがあるだけ」

曲はキリング・ジョークの「プリミティブ」に替わった。あの旅行のことを思いだすと き、ぼくの頭のなかで流れるテーマは、モーツァルトではなくこの曲だ。

19

実際に麻理のいうとおりだった。

築十年以上になるログハウスは、湖畔の森のなかでどっしりと根をはやしていたが、荷物を開くまえにすべての部屋に掃除機をかけなければならなかったのである。麻理はこれが面倒で、別荘よりもリゾートホテルのほうが好きだという。風呂《ふろ》場を洗っているときに、てのひらほどあるクモがでて大騒ぎになったことを、きみは覚えているだろうか。シャワーの水で無理やり排水口に流してしまったけれど、あのときはぼくも背中が寒くなったものだ。

男子と女子の部屋に分かれて荷物の整理をすると、もう昼食の時間だった。ぼくたちはまた二台の自動車に分乗して、山中湖の周回道路をめぐった。一周十数キロほどで、飽きずにまわるにはちょうどいい長さだった。道路から見かけた雰囲気のよさそうなオープンカフェに車をとめてランチにする。確かあのときのランチコースは、ちょっと八丁味噌《みそ》のかおりがする和風ビーフシチューだったはずだ。

湖をわたってくる風に吹かれながら、ゆっくりと昼食をたべた。普段は普通の大学生なのに、そのときのぼくたちはお忍びでリゾートにきた王子や王女の気分だった。コーヒーをお代わりして、ウッドデッキの先につながれた貸しボートにのる。当然、ぼくは麻理といっしょだった。

ぼくはひとつひとつのストロークに力をいれて、ボートを漕《こ》いだ。麻理は若葉の浮いた水面に手をいれる。

「見た目より、冷たいね」

太陽は空のまんなかにある。富士山は絵葉書のように空の背景から浮き立っていた。黙っていると麻理はいった。

「この水、太一くんみたいだな。とてもあたたかそうなのに、ふれると冷たい」

なんだか危険なほうに話がすすんでいくようだった。

「そうかな」

「さっきの話、覚えてる。キスの話」

もちろん覚えていた。うなずくことしかできない。こんな美人にそんなことをいわれたら、うちの大学の男子のほとんどはおおよろこびで尻尾《しっぽ》を振るだろう。だが、なぜか、ぼくは気がすすまなかった。気づいていなかったが、そのときにはすでにぼくの気もちはきみのほうにかたむいていたのかもしれない。麻理は流れる水面を見たままいった。

「ねえ、今、キスしちゃおうか」

ぼくはすこし離れたところにいる二艘《そう》のボートを見た。邦彦ときみは水を跳ね飛ばしスピード競争をしていた。麻理は微笑んで、にぎやかなきみたちを見つめる。

「明るすぎるし、人もいるから、無理かなあ」

麻理は誰か心に決めた人ができると、ひどく素直な性格になるようだった。そのあまりのストレートさが、ぼくにはまぶしく、すこし重たく感じられた。失望させたくなくて、ぼくはいってしまう。

「あとで、暗くなったらね」

顔を輝かせて、麻理は水から手をあげる。指先から落ちたしずくの波紋が、後方に流れていった。

「夜になるのが待ち切れないなあ」

しまったと思ったが、もう遅かった。ぼくはその夜の訪れをびくびくしながら待つことになった。

昼食のあとで、周回道路沿いにあるおおきなスーパーにいった。たくさんの種類の野菜と肉、魚介類はエビだけ。のみものは紅白のワインとウイスキーを買いこんだ。いつもの焼酎《しょうちゅう》ではなく、ログハウスならスコッチだろうと、蔵元の息子の洋次がいったのだ。

富士山の山麓《さんろく》では、日が落ちると空気は肌寒かった。外でバーベキューをするのはあきらめて、リビングのテーブルで鉄板焼きにした。ゴマだれとポン酢、つけだれの味を替えると、いくらでもたべられる気がした。最初は山盛りだった牛ロースとラムの薄切りがきれいに消えてしまう。

ぼくたちは酔っ払い、むやみに陽気になって、好き勝手なでたらめをしゃべり散らしていた。将来の仕事のこととか、就職活動とか、初任給のつかい道なんて、シリアスな話題は絶対にでてこなかった。同世代の人間だけで話す、自由で無責任な会話の花が咲く。それはひどく楽しいひとときだった。気がつくと窓の外は真っ暗で、虫の声は首都高速の高架したくらいのでたらめな音量だった。ぼくが手洗いにいこうと立ちあがると、麻理も席を離れた。廊下で背中に声をかけられる。

「待って。みんなできあがってるみたいだから、抜けだして散歩にでもいかない」

なにげなさを装ってはいるが、必死の声だった。いよいよそのときがきたのだ。

「わかった。いくよ。でも、寒そうだから、上着をもっていったほうがいい」

麻理はぼくに顔をあげて、一瞬だけ笑った。

「やっぱり、冷静で優しいね、太一くんは」

ぼくたちはそのままリビングの宴会にはもどらなかった。二階にあがり、荷物のなかから上着をもって外にでる。森のなかの虫の声は、最新の音響設備をそなえた映画館のようだった。壁になって押し寄せてくる迫力がある。

いつものデートよりも、すこしだけ強く麻理の手をにぎった。麻理の手は骨ばっていて、いつも冷たい。末端冷え性なのだという。なにもいわなくても、足は自然に湖のほうにむかった。

静かな夜だった。風のせいで、湖にすこし波が立ち、暗い岸辺から水音がとぎれることなく響いてきた。富士山は黒々とそこにあるだけで、透明な夜空を従えている。ぼくたちは岸に裏返しにあげられたボートに腰かけた。麻理はすこし震えながらいう。

「こんなにうまくいくなんて、思ってなかった」

「なにが」

「こうして、ふたりだけになること」

ぼくはじっと空を見ていた。東京よりも星の多い明るい夜空だ。

「いつも、そうしてるじゃない」

「旅先は特別。今夜はみんないっしょだけど、初めて同じ屋根のしたで、太一くんと眠れるし。なんだか、なにもかも夢みたい」

うっとりとうれしそうな麻理の顔を見たとき、ぼくがなにを思いだしたか、いっておこう。麻理の整った顔立ちのむこうには、周回道路の明るい破線が丸く光っていた。きみよりもずっときれいな顔を見て、ぼくが考えていたのは、美丘、きみのことだ。きみはこんなふうなロマンチックな時間にも、決して麻理のようなとろけるような顔はしないだろう。きみはキスになど、たいした重さはあたえないだろう。結局そんなもの、粘膜同士の接触にすぎないのだ。

ぼくはそれから急にいろいろと話を始めた。なんとか麻理の決意を先延ばししたかったのだ。学校のこと、友人たちのこと、誰かのベッドでの失敗談、読んでいる本の話が尽きると、なにも話すことはなくなってしまう。なにをいっても、微笑んでうなずいていた麻理がぼくの手を両手でにぎっていった。

「そんなに緊張することないよ。どんなにぎこちなくても、ここにはわたしと太一くんしかいないから、だいじょうぶ」

麻理が目を閉じた。砂のついたボートの底を横にずれて、体温を感じる距離まで近づく。ぼくはよくできた顔だなと冷静に思いながら、唇がふれるだけのキスをした。麻理が口をうっすらと開く。ぼくは舌を伸ばす代わりに、つつくように麻理の上唇と下唇に細かなキスを繰り返した。やわらかな肩においた手を離し、顔を遠ざける。麻理はかすれた声でいう。

「おしまい？」

ぼくは笑ってうなずきながら、自分を呪っていた。自分のキスが最低だとわかってしまったからだ。ときめきも興奮もない。友情の確認のためのキスのようだった。それが麻理に伝わるのが怖くて、あわてていった。

「うん、お楽しみはあとにとっておく」

「わかった。わたし、すごく、幸せだなあ」

麻理はぼくの肩に甘いにおいのする頭をのせた。ぼくたちはしばらくなにもいわずに、夜空を映す暗い湖面を見つめていた。

20

麻理とぼくが別荘にもどったのは、夜の十時すぎだった。なんでもない顔をして、別々にリビングにはいる。きみたちはまだ際限のないバカ話の最中だった。いきなり酔っ払いのなかに交ざると、こんなにおおきな声で話していたんだと驚くくらいだ。邦彦が赤い顔でいう。

「ようやく帰ってきたな。ちゃんとやったのか」

ぼくは汚れたグラスに新しい白ワインを注いでいった。

「なんだよ」

「麻理姫とAとかBとかCとか、その全部とか」

にっこりと笑って、麻理はいった。

「ご想像におまかせします」

きみは豪快に赤ワインを空けた。

「いくら太一くんだって、そんなに早くないよ。それにさ、最初から青カンって、レディに失礼じゃない」

邦彦はとなりに座るきみの頭をくしゃくしゃにかきまぜた。きみは手を払いのける。

「まあ、美丘なら最初が青カンでもオーケーだよな」

「邦彦とじゃなけりゃあね」

きみは無邪気に笑っていた。その横顔を見ていると、胸がどんどん苦しくなってくる。麻理とは唇をふれあっているときでさえ高鳴らなかったのに、酔っ払ってダイニングチェアであぐらをかいているきみを見るだけでたまらなくなるのだ。

そのとき、ぼくは身体の中心でなにかが音を立ててはがれ落ちた。背骨が縦に裂けるような音だった。それをきいてはっきりとわかったのだ。ぼくはもう麻理とはつきあう振りはできない。きみのことが好きになっているんだと。

最初の夜のパーティは、深夜一時半にお開きになった。男子と女子の部屋は分かれているので、きみが部屋にはいってしまったら、もう呼びだすことはできない。ぼくはひとり先に別荘をでて、羽虫の飛びまわる常夜灯のしたに立った。携帯電話を抜いて、きみの番号を選ぶ。携帯の雑音よりも、虫の鳴き声のほうがずっとおおきかった。

「もしもし」

「ぼくだ。美丘、わかる？」

きみは驚いたようだった。しばらく返事がもどってこない。

「えっ、わかるけど」

「じゃあ、お願いがある。今、別荘の外にある明かりのしたにいるんだ。話がある。ほんのすこしでいいから、でてきてくれないか。できれば、麻理に気づかれないように」

「それなら、だいじょうぶ。汗かいて気もち悪いって、麻理さんシャワー浴びにいったから。すぐいくよ」

きみは素足にスニーカーをはいて、ログハウスの階段をおりてきた。白い短パンに襟ぐりの開いたウルトラマリンのカットソー。ぼくを見つけると、小走りに寄ってきていう。

「わたし、こういう秘密は大好き。太一くんの話って、なあに」

きみの底抜けに明るい顔を見ると、急になにもいえなくなった。またさっきの湖畔にぼくは歩いていった。

「ちょっとみんなのところから、離れよう」

「なんか、怪しいなあ」

つい先ほどまで、麻理と座っていたボートに腰かけた。きみは麻理より小柄だから、飛びのるように、ボートの端に座る。また空を見た。星を散らした空は、さっきよりずっと黒く深いようだ。ぼくは自分でも思ってもみないことをいった。

「麻理とは別れようと思ってる」

「どうしたの、急に」

ぼくはきみの顔を見た。なにかにとまどい、それでも同時になにかに気づいている顔だ。

「美丘、きみのことが好きになった。なんとか、麻理とうまくやろうとしたけど、もう無理なんだ。さっき彼女とキスをして、はっきりわかった」

きみは目をそらして、夜の湖を見た。

「キスしなきゃ、自分が好きな女の子もわからないんだ。太一くんて、変わってるね。自分がどんなふうに思われてるか、鈍すぎてぜんぜん気づかない」

きみの目が妖《あや》しく光っていた。唇は麻理よりずっと厚く、ワインの酔いのせいか毒々しいほど赤い。にっと挑戦的に笑って、きみはいった。

「キスすれば、ほんとに好きかどうか、わかるんでしょ。なら、しようよ。わたしのキスを試してみてよ」

ぼくはきみの言葉が終わらないうちに、きみのちいさな身体を抱いていた。唇にふれる唇はとてもやわらかい。麻理のときとは違って、すぐに舌を絡めるオープンマウスの激しいキスになった。胸が苦しくてたまらなかった。きみの舌も小魚のようにぼくの口のなかで動いている。しびれたように長々とキスをして、ぼくたちは息も荒く、おたがいから離れた。

「どうしたらいいんだ」

ぼくの声は夜の湖に沈んでいくようだった。きみは唇をかんでいう。

「どうしようもないよ。こうなったら、いくところまでいくしかないもん。ねえ、太一くん。そのまえにもう一度キスしよう」

ぼくときみは身体をぶつけるようにまた抱きあった。裏切りの夜はまだ始まったばかりだ。ぼくはきみの身体の熱に打たれ、全身を一枚の舌のようにして立ち尽くしていた。この時間、この夜が永遠に続けばいいと思った。

昼の光りのなかで、麻理と顔をあわせるのが恐ろしくてたまらなかった。

21

灰色の空には無数の雨がとまっている。

顔をあげて、そのうちのひとつを選び、そのしずくがアスファルトに落ちるまで、必死に見つめる。ビル風に流され、軌跡をななめに変えながら、ほんの一秒。雨粒は大地に落ちる。ちいさなしぶきをあげて、しずくは世界をまるごと濡《ぬ》らす水の一部にもどってしまうのだ。

美丘、今ではぼくにもわかる。

数秒で空の遥《はる》か高みから舞いおりて、この汚れた大地にクラッシュする。それが、ぼくたちの命なのだ。空を埋め尽くす雨のしずくのひと粒ひと粒が、ぼくたちなのだ。どんな場所に落ちるか、どんなふうに砕け散るか。なんの予想もできないまま、風にまかれてほんの数秒を生きる。それが人の一生である。

ものすごくあわて者のきみは、ぼくよりずっと早く地面に落ちてしまった。でも、もう時間差など気にしない。ぼくに残された時間だって、たいした長さじゃないのだ。いつか、ぼくがそっちにいくことになったら、またいっしょに暮らそう。

ふたりでひとつの水になり、幸福で世界を濡らすのだ。

東京の梅雨は肌寒い季節である。五月の終わりに真夏のように上昇した気温は、浅い春のころに引きもどされる。ぼくは間抜けなので、梅雨がきたのは自分のせいだと心のどこかで信じていた。

きみに気もちは奪われているのに、傷つけるのが怖いという理由だけで麻理とつきあっている振りを続けていた。空だって黒々とした雲を浮かべて、太陽を隠すはずである。一日のうちに二度のデートを重ねることもあったのだ。

きみは覚えているだろうか。あの雨の日、表参道のオープンカフェ。分厚い雨よけのビニールがデッキスペースを包んで、透明なスクリーンはまだらに汚れていた。ぼくたちはぼんやりと水滴の流れ落ちるビニールを見ていた。きみはいきなりいう。

「このあと、麻理さんとデートなんでしょう」

ぼくは黙ってうなずくだけだ。

「わたしはこういうの慣れてるからいいけどね。別にステディのいる男とつきあうの、初めてじゃないし。でも、麻理さんはきっと傷つくよ」

なにもいえなかった。冷めてしまったカフェ・ラテをすする。きみは椅子のうえで背を伸ばした。退屈したネコがソファのうえでするような背伸び。

「こういうのは早いうちに手術しちゃったほうが楽なんだけどね。スパッと切るときは切る」

首でも落とすように目のまえで架空のメスをななめに振るう。ぼくはあきれてきみを見ていた。

「自分が切るんじゃなければ簡単だ。ぼくだって邦彦にでも相談されてるなら、さっさとけりをつけろっていうだろう。でも、麻理はあまりにいい子だし、懸命すぎるんだ。きみのいい加減さをわけてやりたいくらいだよ」

きみはラインストーンのついたTシャツの肩をすくめる。

「だから、だらだら告知を先に引き延ばして、相手に与えるダメージをおおきくする。そういうの優しさとはいわないんだよ。まあ、太一くんが自分で選んだ方法だから、別にいいけどさ」

ぼくは雨に濡れた参道から顔をあげて、きみを見つめた。

「美丘はなぜ、そんなふうに落ち着いていられるんだ。こういう状況なら、たいていの女の子は耐え切れずに半狂乱になるだろう」

きみはにっと笑って、ぼくの肩をこづいた。

「わたしはひとつだけ確かなことを知ってる」

思わせぶりな台詞《せりふ》だった。ほかの誰かがいったら、冷笑しただろうが、一瞬一瞬をメーターを振り切るように生きているきみがいうと奇妙に説得力があるから不思議だ。

「みんなが知らなくて、美丘が知ってることってなんだ」

きみは目を半分閉じて、古い仏像のように笑う。男性とか女性とか、性別を超えた微笑だ。

「時間は永遠にはない。わたしたちはみんな火のついた導火線のように生きてる。こんな普通の一日だって、全部借りものだよ。借りた時間は誰かがいつかまとめて取り立てにやってくるんだ」

きみはテーブルのうえで腕をおおきく振ってから、襲撃の真似をする。

「死神でも、天使でもいいけど、そいつがきたら、みんなおしまい。永遠に生きられると思ってるやつは、夢でも見てるんだ。わたしはひとりきり、真夜中でも目覚めてる」

遠くのウエイターに手をあげて、きみはお代わりのカプチーノを注文する。黒いエプロンで腰を締めあげた若い男がいってしまうと、ぼくのほうをむいていう。

「見た、あのお尻《しり》。おいしそう」

きみと話していると、いつも調子が狂うのだった。シリアスな展開は、急に乱れてセックスの話題になったりする。そのときのきみは、またまじめな顔にもどった。つむじ風みたいだ。

「でも、わたしだってベッドで夢を見るおたのしみは知ってる。こっちはひとりで起きてるけど、無理して、みんなを起こそうとは思わないよ。なんだったら、いつまでも三角関係でもいいよ。わたしは二番手でぜんぜんオーケーだもん。ねえ、太一くん……」

きみは真剣な顔でぼくを見つめた。

「太一くんには、もともといいところがある。それなのにいつも隠そうとしている。普通の人の振りをして、みんなのなかに隠れようとしてる。もっと自分のまま、好きなように生きればいいのに。わかる?」

別れの言葉のようだった。ぼくはきみの真剣さがまぶしくて、冗談をいった。

「好きなように生きて、誰かみたいに人の男に手をだす」

きみはかなり強めにぼくの肩をたたいた。

「なにいってるの。このふたまた男が」

離れたところでは、仲のいい恋人同士にしか見えなかっただろう。ぼくたちは声をそろえて笑ったが、それは薄い氷のうえの必死の笑いだった。一歩でも不注意に動いたら、凍《い》てつく川に落ちてしまうのだ。

22

人の心はなぜ反対にばかり動くのだろうか。

このままの三角関係でいいといわれた翌週には、ぼくは麻理と方をつける気もちになっていた。美丘のいうとおりにしたくなかったのである。誰かになにかをさせるには、とりあえず反対してみるといい。それはきみから学んだいじわるな知恵のひとつだ。

待ちあわせは雨の渋谷だった。土曜日夕方の公園通り、パルコのまえには、雨粒の数くらいの人波。ぼくは傘をさして、これ以上はない暗い顔で立っていた。これから麻理に別れを切りださなければならないのだ。彼女には傷つけられるような理由などまるでない。一方的にこちらが悪いうえに、まもなく相手を傷つけ苦しめる立場になるのだ。

ぼくはなにかわけのわからないことを叫んで、その場から逃げだしたかった。けれども麻理は約束の五分まえには、やってきてしまう。あいにくの天気なのに、見たことのない白いサマードレスを着ていた。肩だしのフリルとリボンとシフォンのドレス。すごくフェミニンで、麻理にはよく似あっていた。白いサンダルのつま先がうれしそうに坂道をあがってくる。明らかにきみよりもきれいな麻理を見て、自分でもどうかしたんじゃないかと思っていた。こんなに美人の女の子より、きみのほうが好きなのだ。

「待った？」

麻理は疑うことを知らない表情だった。ぼくが首を横に振ると、恥ずかしそうにいう。

「つぎにいつ会えるかわからないから、雨だけど新しい服おろしちゃった」

「そう。よく似あってる」

麻理はぼくの傘に近寄ると、のぞきこむようにぼくを見あげた。

「新しいのは、ドレスだけじゃないの。中身もね」

新しいランジェリーか。ぼくはなんとか勇気を奮い起こそうと内心あせっていた。このままの流れで、麻理を抱くことなどできなかった。ぼくたちの背後では、雨の日のカップルが排水溝に流れこむ雨水のようにファッションビルに消えていく。傘をさして静止しているのは、ぼくと彼女だけだった。世界はスローモーションのように動く。

「麻理に話がある」

自分の声ではないようだった。老人のようにしゃがれていた。麻理はなあにという顔で、笑ってぼくを見た。この笑顔を傷つけ、打ち砕くのだ。麻理はもう二度とこんな無邪気な顔で、ぼくに笑いかけてくれることはないだろう。

「麻理とは別に好きな人ができた。もう、いっしょにはいられない」

花が枯れるのを齣《こま》撮りして、高速で再生したようだった。目のまえで麻理の大輪の笑顔から、あたたかさと好意が消えていく。みずみずしい花びらは、渋谷の雨雲と同じ灰色になった。

「どうして……」

一度口にすると、ぼくは空しい言葉をとめられなかった。

「まえからいおうとは思っていた。でも、麻理があまりに魅力的だったし、その、けなげで、なにもいえなかったんだ。ごめん」

彼女の全身から力が抜けていった。ほんの一瞬で十歳も歳を取ってしまったように見える。背は曲がり、純白だったサマードレスさえ、灰色ににじんだようだ。

「その人は、わたしも知っている人?」

いくら隠しても、いつかはわかってしまうだろう。からからに渇いたのどからでたのは、裏切りの返事である。

「そう。よく知っている人」

麻理の顔が鋭く引き締まった。形よく描かれた眉《まゆ》がひそめられる。はっきりいっておくけれど、そのときの麻理はきみが逆立ちしても遠くおよばないくらいきれいだった。

「もしかしたら、美丘さん」

麻理の口からでたきみの名は、とてもちいさくてかすれていた。どこか遠い高原にでもあるなだらかな美しい丘。美丘。

「ごめん。ぼくがすべて悪かった。最初は彼女のことなんて、好きでも嫌いでもなかった。それよりも麻理のほうにずっとあこがれていた。でも、今年の春になって、全部が変わってしまった」

ぼくは雨のなかでしどろもどろになっていた。

「麻理、ごめん。きみのほうが背が高くて、ずっと美人で、スタイルだっていい。頭もいいし、素敵な声をしてるし、思いやりだってある。きみのほうが、気がきいて、優しくて、誰だってつきあった男はみんな幸せになると思う」

麻理はぼくから目をそらさなかった。いっぱいに開いた目に涙がたまっていく。

「でも、太一くんはわたしとじゃ、幸せにはなれないんだよね。どうして、わたしじゃダメで、美丘さんならいいの」

ぼくにだってそんなことはわからなかった。どう考えても、麻理のほうがすべての条件をそなえているのだ。きみにあって、お嬢さまの麻理にないものはなんだろうか。一瞬に命の火花を燃やし尽くす生きいきとした生命力かもしれない。なんだかわからないけれど、あの今を生きているという感じ。もっともぼくはそんなことは、ひと言も口にはしなかった。

「ごめん。自分でもなぜ美丘にひかれてしまうのか、よくわからないんだ。麻理にはぼくなんかよりも、ずっといい男がきっとあらわれると思う」

その言葉で麻理の目つきが変わった。涙がこぼれ落ちても、気にせずにぼくをにらみつけている。

「わかった。じゃあ、わたしたち、どうしても終わりなんだね。それなら、最後のお願いをきいて、太一くん」

麻理の目は容赦なく光っていた。唇もまえにつきだされている。そんな野性的な彼女を見たのは、短くはないつきあいで初めてだった。ぼくは気おされていった。

「できることなら、なんでも」

「今日これから、わたしとセックスしよう。わたしはあなたの身体をぜんぜん知らない。あなたもわたしの身体をぜんぜん知らない。そんな空っぽのまま別れるなんて、わたしは嫌」

突然の言葉に頭が真っ白になった。麻理のような女の子から誘われて、気もちが動かない自分が他人のように感じられた。ぼくはため息をついて、冷静に麻理にいう。

「ダメなんだ。きみとの別れ話が終わったら、美丘に電話することになっている。ぼくたちには、このあとはないんだ」

麻理は傘をさしたまま、雨のなか震えだした。怒りがこんなふうに、女性を魅力的に見せるのだ。ぼくはおかしなことに感心していた。

「ひどいよ、太一くん。美丘さん、今どこにいるの」

覚えているだろうか。きみはどこかの店で待つのは嫌だといっていた。

「渋谷公会堂の近く。歩道橋のしたにいるはずだ」

麻理はそれだけきくと坂道を進軍でもするようにおおきな歩幅で歩きだした。傘が揺れて、裸の肩が雨で濡《ぬ》れる。麻理はぼくのほうも見ず、濡れることもかまわずに公園通りをのぼっていく。

「待って。どうするつもりなんだ」

ぼくはあわてて、麻理のあとを追った。信号待ちで麻理は携帯電話を抜いて、きみの番号を選択した。麻理はとがった氷のような声でいう。

「美丘さん、太一くんからすべてきいた。今どこにいるの」

携帯のスピーカーは意外とおおきな音を漏らすものだ。内容がわからなくても、きみが話している調子はわかった。さばさばとした機械的な返事だ。

「わかった。そこにいて、これからすぐにいくから」

ぼくは傘をもつ麻理の右手をつかんだ。

「どうするつもりなんだ。美丘に逆上するなんて、麻理らしくないよ」

麻理は無理やりおおきく笑った。

「わたしらしいのは、太一くんの好みじゃないんでしょう。どうせ別れるなら、好きなようにさせて。わたしのことは抱きもしなかったくせに。もう美丘さんとは最後までしたの」

雨の交差点で赤信号を待つ人が、いっせいにぼくたちのほうを見た。ぼくの声は自然にちいさくなる。

「そんなことはしていない。美丘はそんな女の子じゃない」

麻理は泣きそうな声で叫んだ。

「わたしのまえで、美丘さんのこと、かばわないでよ」

となりに立っている高校生のカップルが、ぼくを軽蔑《けいべつ》した目つきで眺めていた。制服の白シャツの男子をにらみつける。相手はすぐに目をそらせたけれど、すこしも満足感はなかった。

23

歩道橋にあがる階段のした、細長く乾いた場所にきみは立っていた。華やかな白いサマードレスの麻理とジーンズにTシャツ一枚のきみ。麻理は大柄でスタイルもいいけれど、くらべたらきみは貧弱だ。ぼくは傘をさしたまま、雨のなかなにもできずに立っていた。きみはもう覚悟を決めていたようだった。悪びれることなく正面から、怒りに目を光らせる麻理を見つめていた。

「ごめんね、麻理さん。わたし、麻理さんのこと大好きだったのに、こういうことになっちゃった」

麻理は長い腕のやり場に困っているようだった。両手で傘をもったり、片腕だけ背中にまわしたりしている。あまりの怒りでじっと静止できないようだった。

「わたしが太一くんとつきあってるのを知ってて、彼に近づいたの」

「美丘は……」

ぼくがひと言口をはさもうとしたところで、麻理は鞭《むち》でも振るうように鋭くいう。

「太一くんは黙って」

きみはぼくを見て、うなずいた。ここは麻理に従ったほうがいい。この場で一番傷ついているのは、彼女なのだ。目を見ただけで、きみの考えていることがわかった。おかしなことだが、この数カ月のつきあいで麻理とぼくがそんなふうに視線だけで結ばれたことは一度もなかった。

「わたしはあんまり近づいたっていう気はなかったんだ。最初から太一くんは、悪くないなあって思ってたけど、麻理さんみたいな素敵な人がいるし」

「じゃあ、最初に誘ったのはどっちなの」

ぼくが自分だといおうとしたら、きみは視線でぼくをとめた。

「わたしのほうかな。麻理さんへのプレゼントを買うのにつきあおうかなんて」

麻理は首からさがった銀のドラゴンに指先でふれていた。きみの言葉をきいたとたんに、ネックレスを引きちぎり、濡れた歩道に投げつける。

「そんなにまえから、太一くんとこっそり会っていたの。わたしはうちのグループにあなたを気もちよく迎えたつもりなのに」

きみはひたすら謝った。ちいさな身体が、さらにちいさくなる。

「ごめん、わたし、男を傷つけてもなんとも思わないけど、かわいい女の子にひどいことをするの、ほんとうに嫌いなんだ。自分で自分が許せないよ。でも、太一くんのことは、遊びじゃなくて、本気だった。この何週間かはひどく苦しかった」

麻理はぼくのほうを見て、涙目で笑った。

「わたしはあなたよりももっと苦しかったよ。ほんとうに自分が愛されているのか、ずっと不安でしかたなかった。いつか、こんなときがやってくるんじゃないか。不安で不安でたまらなかった。太一くんはわたしといても、いつもほかのところばかり見ているし。それでも、こんなに傷つくなら、不安なほうがよかった」

「ごめんね、麻理さん。わたしのこと、好きなようにしていいよ」

その言葉で、ぼくに送られていた視線が、ゆっくりときみに移った。あぶないとぼくは直感した。麻理の全身が震えている。やり場のない怒りが、身体のどこかを突き破って飛びだしそうだった。麻理の声は氷の王女らしく最後まで冷静だ。

「美丘さん、あなた、最低」

長い右腕が飛んで、きみの頬を打った。広い範囲で赤くなるだけでなく、血がひとすじ流れ落ちる。麻理の指輪が頬骨にあたったのだろう。彼女はきみの血を見ても、顔色ひとつ変えなかった。

「わたしはあなたを絶対に許さない」

凄絶《せいぜつ》な笑いを浮かべて、麻理はぼくにむき直った。

「いつか、美丘さんのめちゃくちゃについていけなくなったら、わたしのところに帰ってきてもいいから。わたしは太一くんのこと、いつまでも好きだから。しばらくのあいだ、自由にさせてあげる」

それだけいうと、麻理は傘を開いて、雨の公園通りにでていった。ぼくは彼女の背中を人波に消えるまで見送ったけれど、麻理は一度も振り返らなかった。彼女のプライドが許さなかったのだろう。まっすぐに伸びた厳しい背中だった。麻理はいつだって、自分のプライドを捨てられるほど、人を好きになることはないのだ。

ぼくはきみに近づいた。ジーンズのヒップポケットからバンダナを抜いて、頬の血をぬぐおうとする。きみは耐え切れないように叫んだ。

「もう、太一くんも麻理さんも似てるんだよ。もっと自由に、思ったとおりに生きればいいのに。わたしのことが憎らしかったら、ぼこぼこにすればいいんだよ」

「だいじょうぶ？」

そっと声をかけて、白い布に血を吸わせる。

「だいじょうぶなわけないじゃん」

今度はきみの右手が目に見えない速さで動いた。ぼくの頬に熱い衝撃がスタンプでも押したように残った。ぼくはあっけに取られて立ち尽くしていた。きみの行動は、ぼくにはまったく予想外だった。

つぎにきみは飛びつくようにぼくの顔を両手ではさむと、唇にキスをした。深々と舌を押しこまれて、息ができなくなる。きみはぼくから離れるといった。

「これで、おあいこ。ふたりとも一発ずつやられたしね。ねえ、太一くん、今夜は朝までのもうよ」

悪くなかった。麻理の怒りを見たあとでは、とてもきみといちゃつく気にはなれなかったのだ。

「いいね。こっちもほんとに酔っ払いたい気分だ」

きみはいたずらっぽい目で、ぼくを見あげてきた。

「そう、わたしは思い切り走りたい気分」

「つきあうよ」

きみは透明なビニール傘を投げ捨てた。男の子のように目をまわして、腰に両手をあてる。

「競走しようよ。いいかな、公園通りの坂のしたまで先に着いたほうが勝ち。ゴールはマルイの角ね。負けたら今夜ののみ代は、全部その人もち。それでいい」

ぼくがうなずくと、きみはいきなり叫んだ。

「レディ、セット、ゴー」

きみは雨の渋谷に傘もささずに飛びだしていった。白いTシャツの背中が風をはらんで揺れている。短い髪が雨のなかに開く花のようだった。

「待って、美丘」

ぼくはアスファルトから傘を拾い、細かなステップを踏みながら人の形をした障害物を避けていくきみのあとを追った。雨のなかを走るなんて、小学生以来のことだ。額にあたるしずくを冷たく感じながら、風と雨を切って走る。今を生きているこの感じ。

きみとすごした十三カ月のあいだ、きみの生のスピードが落ちることはなかった。ありがとう、美丘。きみが命の火を燃やして、ぼくに教えてくれたのは、いつだって今を生きること、それだけだった。

雨のなかでも、走りたければ走る。好きな男がいれば、どんな困難も越えてものにする。反省や後悔はしない。砂時計のようにこぼれ落ちる時間を手のなかににぎり締め、胸に輝く記憶を焼きつけるのだ。

雨のなか、きみの背を追って、ぼくは走った。笑いながら走った。それはきみとの最後の梅雨の一番鮮やかな思い出だ。

24

美丘、きみとぼくのあいだで、七月は一番甘い季節だ。

まだ梅雨は明け切らず、湿った日々は続いていた。だが、ぼくもきみも天気のことなど気にしなかった。雨など降るならいくらでも、降ればいい。きみとぼくは恋のスタートの熱気のなかにいた。東京中の雨を、ふたりの力で乾かしてみせる。そう覚悟させるほど、熱くて甘い七月だった。

毎朝起きだして、朝食をとり、大学にむかう。電車に揺られているだけで、あんなに幸せだったことはない。くすんだ地下鉄のなかでさえ、光りにあふれて見えた。青山のキャンパスにいけば、きみに会える。メールのメッセージを読むだけでなく、ほんもののきみに会える。思いだしただけで、ひとり笑ってしまう季節の始まりなど、二十回目を迎えたあの夏が初めてだった。

ぼくが麻理と別れて、きみとつきあいだしたこと。それは確かに、ぼくたちのちいさなグループのあいだでさざ波を起こした。しかし、麻理はやはり王女さまだった。自分のプライドにかけて、悲劇のヒロインを演じることはなかったのである。絶対にきみとふたりきりになろうとはしなかったけれど、ほかのメンバーがいる場所では、麻理が氷の仮面をはずすことはなかった。冷静に、礼儀ただしく、穏やかに。そして、いつも変わらず美しく。心の傷や怒りは、ていねいに包装紙にくるんで、あの笑顔で隠してしまう。

ときどきぼくにひどく切ない視線をむけてくることがあって、そんなときは正直困ってしまった。けれど、ぼくは学んだのだ。誰かを選ぶことは、誰かを傷つけることでもある。その勇気はもち続けなければいけないし、悪や痛みは引き受けなければならない。考えてみれば、ぼくは生まれて初めてきちんと恋愛をしていた。自分を守りながら、誰かをほんのすこしだけ好きになる。そんな逃げ腰ではなく、恋愛の生むあらゆるプラスとマイナスを、自分の身体で受けとめていくこと。

きみのおかげで、できるはずがないと思っていた恋が、できるようになったのだ。ぼくはそれまで、ずっと臆病《おくびょう》だった。人を恋することから逃げ続けてきた。誰も愛さず、誰かに愛されそうになると、あわててその場を立ち去っていたのである。もちろん、ぼくはきみに礼などいっていない。だから、ここでちいさな声でいっておこう。

ありがとう、美丘。

あの七月の午後から、きみを好きになったのを、ぼくは後悔したことはない。きみが秘密を打ち明けてくれたあのときの勇気を忘れたこともない。それに、たいしてよくないといっていたきみのスタイルだって、なかなか素敵だった。

さあ、あの日の話を始めよう。

ぼくはこの話をするのが、実はひどくうれしいのだ。初めてぼくときみが結ばれた七月。ぼくたちの心と身体が、「死がふたりを分かつまで」結ばれたあの日。

ぼくはまだきみとの恋が、ずっとずっと続くのだと無邪気に信じていた。

七月十五日は、ぼくたちの大学の前期試験の最終日だった。

ぼくは麻理と別れ、きみとつきあうことになったけれど、肉体的な接触は全力で控えていた。まだキスまでしかしていなかったのだ。別に禁欲的だったわけではない。ただ怖かったのだ。セックスには雪崩《なだれ》のような勢いがあり、誰かと一度してしまうと、その勢いをとめるのはとてもむずかしい。欲望で溶けだした数万トンの雪を、両腕で受けとめるようなものだ。ぼくはきっと頭からきみに溺《おぼ》れてしまうだろう。

だから前期試験が終わるまで、やめておこうといったのはぼくだった。きみはしぶしぶ了解した。ぼくが麻理と別れてから、きみはすぐにいっていたのである。

「ねえ、太一くん、やろうよ。わたしのことなら気にしなくていいから、すぐにやっちゃおよ」

そんなふうにそそのかされるたびに、ぼくは心臓をどきどきさせながら、怒った振りで返事をした。

「ダメだ。美丘も女の子なんだから、やろうとかいうな」

そうして試験勉強の二週間と試験期間の二週間を、ぼくは耐えてきた。だが、それも限界だった。金曜日のぼくたちのデートが、いかに重要なものだったか、想像してみてもらいたい。ぼくは大学のカフェテリアできみを待っていた。新しいTシャツと洗いたてのジーンズ。ボクサーショーツだって新品だった。ガラスのむこうでは、試験を終えて一様に明るい顔をした学生たちが、笑いながら歩いていく。第一時限に会計学Aの試験を終えて、ぼくの前期試験は終了していた。第二時限には、きみの心理学通史のテストがある。昼にそれが終われば、晴れてぼくたちは試験の憂鬱《ゆううつ》から解放される。

今から数時間後、ぼくは好きな女の子の身体を初めて見ることになるだろう。洋服のしたに隠された肌に初めてふれるだろう。二十歳の健康な男子学生の頭のなかでは、超大型台風並みの妄想が黒々と湧きあがっていた。想像の熱を冷やすために、ぼくはアイスオレを二杯ものんだのである。

「待った？」

ぼくの頭は空想でいっぱいだったので、現実のきみのほうが幻に見えた。ひざしたぎりぎりのカプリ丈の白いパンツに白のミュール。熱をおびた視線はあがっていく。白のタンクトップのうえには淡いブルーの透けるカーディガン。きみは両手をうしろに組んで笑った。

「ひひひ、どきどきして試験どころじゃなかったよ。もう、やらしい……」

ぼくはひざをついて懇願しそうになった。

「お願いだから、今日はかわいい子モードでいてくれ。やるとかスケベとかいうな。ぼくの夢を壊さないように」

胸にテキストを抱えた女子学生がテーブルのわきをとおりすぎていった。言葉のかけらでも耳にはさんだのだろう。冷凍光線のような視線を、ぼくに放射する。

「美丘のせいでにらまれたじゃないか」

「いいじゃん、いいじゃん。今日はこれから、いいことあるんだから。まず、ごはんたべにいこう。しっかり腹ごしらえしないとね」

運動のまえの栄養補給のようだった。ぼくは悲しい目をしたらしい。きみは立ちあがったぼくの腕を取った。

「腹ごしらえもダメなの。だいたい太一くんは、言葉づかいに厳しすぎるんだよ。やることはいっしょなのに」

「だから、やるとかいうな」

「はいはい」

25

ぼくたちは渋谷スペイン坂のイタリアンにいった。味も値段もまあまあだけれど、とにかくボリュームがすごい店だ。腹を空《す》かせた金のない学生でいつも満席のレストランである。塩味の白いパスタとトマトソースの赤いパスタに、子牛のカツレツとグラスのシャンパンをつける。

「シャンパンって、甘くて爽《さわ》やかでおいしいね」

きみは薄手の衣をさくさくとナイフで切りながら、うれしそうに笑った。唇が揚げ油とリップグロスでぬめるように光っている。この唇にもうすこしでふれられるのだ。ぼくがぼーっと見とれていると、きみはいった。

「あんまり見ないでよ。今、やら……よくないこと考えていたでしょう」

ぼくはうなずいて、きみの唇の曲線の複雑さをさらに観察した。

レストランをでたのは、午後一時すぎだった。夏休みを控えて、平日でも渋谷の人波はラッシュアワーのようだ。まだバーゲンセールが続いているので、ショッピングバッグを手にさげた女の子が目につく。きみはぼくと腕をからませると、滝のように人の流れるスペイン坂をずんずんくだっていった。

真夏の日ざしのなか、センター街を横切り、文化村《ぶんかむら》通りをわたる。そのころには、ぼくときみの腕は汗で張りついていた。それでもぜんぜん不快ではない。男だったらつき飛ばしていただろうが、好きな人の汗はとてもいいものだ。東急デパートの交差点から、ゆっくりとホテル街の坂道をあがっていった。昼でも光りのささない細い路地の両側には、さまざまな意匠のホテルが並んでいる。

「どこにしようかなあ。五時までサービスタイムだって」

きみは緊張しているぼくに笑いかけてくる。

「新しくて、きれいそうなところなら、どこでもいいよ」

どのホテルも平日の午後のせいか、青い空室ランプを灯《とも》していた。ぼくたちが選んだのは、道玄坂の天辺《てっぺん》近くに建つリゾートのようなホテルだった。赤い屋根に、白い漆喰《しっくい》塗りの壁面。正面エントランスのわきには、四本のヤシの木が通りに張りだすように植樹されている。ぼくはきみの目を見た。きみは視線だけで、悪くないとうなずいてくる。ガラスの扉を抜けると、放射状に大理石の張られたロビーだった。部屋写真のパネルは半分以上が、明るくなっていた。

「どれにする」

ぼくたちはゾウの檻《おり》でも見る子どものように、壁を埋めるパネルを見あげていた。きみはあちこちの部屋を見くらべていた。

「最初だから、一番いい部屋にしよう」

ぼくは最上階のペントハウスを選んだ。休憩料金がほかの部屋の宿泊代になる部屋だ。フロントでカードキーを受けとり、エレベーターにのった。ぼくが最上階のボタンを押すと同時に、きみは飛びつくようにぼくの首を抱いた。

「やっと、ふたりきりになれたね」

きみの唇が近づいてきた。目を閉じて、薄く口を開く。きみの舌はとてもやわらかで、ぼくと同じトマトソースの味がした。


ペントハウスにはいると、ぼくたちはよそよそしくなった。ふたりだけで密室にいることに慣れていないので、急に恥ずかしくなったのだ。部屋はとても広かった。二十畳ほどあっただろうか。アルミサッシのむこうにはウッドデッキのバルコニーが延びて、白い寝椅子がふたつ並んでいる。

「はあー、ここまできちゃった。なんだかラブホじゃなくて、普通のリゾートホテルみたいだね」

きみはベッドでクッションの硬さを確かめながら、そういった。反動を利用して跳ねるように立ちあがると、裸足《はだし》で部屋の奥にいく。

「お風呂《ふろ》も見てみようよ」

ぼくはきみのあとに続きながら、この背中が自分のものになるのだと、いまだに信じられずにいた。

「わー、広い。わたしなら、このバスルームだけで暮らせるな」

円いジャクージは五、六人で楽にはいれるおおきさだった。きみはさっそくバスタブにお湯を張る。手を振ってしずくを飛ばしながら、うわ目づかいでいった。

「いっしょにはいる?」

ぼくは首を横に振り、寝室にもどった。きみがあまりにかわいくて、呼吸困難になりそうだった。


シャワーを浴びたのは、ぼくのほうが先だった。ジャクージはあまりに巨大で、お湯を張るまで時間がかかりすぎたのである。ぼくは室内の明かりを落として、シーツに潜っていた。自分の心臓の音だけが、ひどくおおきくきこえてくる。胸のなかにふたつもみっつも心臓ができて、全部ばらばらに脈を打っているようだった。

きみはすこし怒った真剣な顔で、バスルームからやってきた。湿った肌に白いタオルを巻いている。ベッドの横に立つと、小柄なきみは未成年のように見えた。ぼくは自分が緊張しているせいで、バカなことをいった。

「緊張してるの。美丘はこういうの慣れてると思った」

きみは一瞬険しい顔をして、タオルを巻いたままベッドのうえにダイブした。ぼくに全体重をかけてくる。息ができなくなった。シーツ越しに、ぼくの肩にパンチをいれた。

「慣れてるわけないじゃん。そりゃ、わたしだってヴァージンじゃないけど、最初にする人とは緊張するし、初めてのときといっしょで、ドキドキだよ。太一くんは、鈍感だな」

「ごめん」

「いいよ。キスしてくれたら、許す」

バスタオルをほどきながら、きみはリスのようにブランケットのしたにすべりこんできた。ぼくが最初に全身で感じたのは、きみの身体から放たれる熱だった。それがしだいに近づいてきて、ぼくの冷めた肌にすきまなく張りついてくる。夏の日ざしや太陽をそのまま抱き締めているようだった。

きみにいわれたように、全身全霊をこめてキスをした。夢中になって舌をつかったけれど、そこから記憶はしばらく飛んでしまっているのだ。あのときの身体と心の動きは、きっと神経を集中させれば思いだすことができるのかもしれない。でも、そんな気分にはなれないのだ。ぼんやりとした、でも、なにかとてもいいもの。そんなふうに思い出のなかに刻んでおきたいのかもしれない。

誰かを抱くことが、これほどおおきな経験になる。ぼくは生まれて初めて、セックスのもつほんとうの豊かさと素晴らしさをきみから学んだ。

ぼくたちの初めての体験は、ひどく遠慮がちなものだった。まだおたがいの身体がよくわかっていなかったし、相手からとんでもないやつだと思われたくない。いつもは自由なきみだって、緊張で震えていたのをぼくはよく覚えている。

ようやくすべてが終わったときには、ぼくは安堵《あんど》していた。なんとかむずかしい試験を、あまりおおきなミスもなく切り抜けることができた。うれしさも達成感もあったけれど、安心感のほうが先だったのである。

きみはぼくの胸に頭をのせて、暗い天井を見あげていた。

「ありがとうね、太一くん」

突然、きみは女の子のようなことをいう。ぼくは驚いてしまった。

「どうしたの。美丘らしくないよ」

「だって、うれしくて、どうしてもお礼をいいたかったんだ。もう二度と、太一くんはわたしとしてくれないかもしれないから」

意味がまるでわからなかった。ぼくたちはまだたった一度しか抱きあっていない。きみは後頭部の髪をゆっくりとかきあげた。そこには古い傷跡が、細く白い道のように残っている。

「ちょっと指を貸して。わたしの髪のなかに道があるでしょう」

ぼくはきみに手をとられながら、指先でその傷跡をなぞった。きみの声は真っ暗なホテルの寝室の隅から、冷たく届くようだった。いつものきみの声とは、まったく違う真剣さだ。

「この話をするのは、ほんとうに好きになった人だけ。太一くんで、ふたり目になる。わたしが交通事故にあったのは、幼稚園の年長さんのときだった。もう記憶はぜんぜん残っていないんだ。頭を強く打ったらしくて、手術をして長いあいだ入院することになった。事故のときの衝撃とか、手術の痛みとか、そんなのはまったく覚えていない。ただね、好きじゃなかった幼稚園を、たくさん休めてうれしいな。子ども心にそんなふうに思った記憶だけある」

ぼくは白い傷跡から手を離した。その代わりに話すたびに上下する、きみの白い首筋にそっと手を添わせた。

「でも、手術はうまくいったんだよね。もうずいぶん昔の話だし、美丘にはぜんぜんおかしなところはないもの」

きみは悲しそうに笑ってみせた。

「手術はうまくいったのかな。今、こうして生きてるしね」

なにか恐ろしく嫌な感じがした。裸で抱きあっているきみが、この瞬間にもどこか手の届かない場所にいってしまう。そんな感じだった。ぼくはきみを抱く腕に力をこめた。きみは淡々という。

「わたしの頭の骨は、陥没して割れてしまった。脳と頭蓋骨《ずがいこつ》のあいだには硬膜という硬い膜があって、その部分も裂けてしまった。そのころ硬膜をつなぐには、手術で人の硬膜を移植するしかなかったんだ。ばんそうこうみたいに張りつけるの。今は人工の素材らしいけど」

きみの声は低く沈んでいった。井戸の底から響くような声は、ぼくの胸のうえからきこえてくる。

「幼稚園児のわたしが移植されたのは、ドイツから輸入された乾燥硬膜だった。ライオデュラ。それで病気が移ったかもしれない。わたしが手術した病院はひどいところでライオデュラの危険性がわかっていたのに、在庫がなくなるまで手術を続けていたんだ。わたしより先に手術をした人は四人。そのうち三人が死んで、残るひとりはこの春発症した」

きみは深呼吸をした。ぼくも深呼吸をした。ぼくたちは恐ろしい真実をすこしでも、先に延ばしたかった。そのあと、ぼくは生まれてから一番勇気のある人間を見た。きみは意志の力でしっかりと笑っていう。

「クロイツフェルト＝ヤコブ病。治療の方法はない。十年も二十年も潜伏して、いつ発症するかもわからない。それで、一度発症したら、三ヵ月ぐらいで脳がスポンジみたいに空っぽになって死んでしまう」

涙もでなかった。この愛らしい頭のなかに、恐ろしい病原体がうごめいているかもしれないのだ。ぼくは必死になって、きみの頭を胸に抱いた。きみは明るく声を張る。

「でも、安心してね、太一くん。わたしは感染していないかもしれないし、この病気、セックスでは移らないから」

ぼくの胸にあたたかなものが落ちた。きみは声を殺してしばらく泣いていた。

「そんな病気にかかってるかもしれない女の子とつきあう気になんて、もうならないよね。いつ死んじゃうかわからないし、いつ好きな人の顔を忘れちゃうかもわからない。明日からキャンパスであっても、なにもなかった振りをしていいから。このまえこの話をしたもうひとりの人は、やっぱりダメだったんだ。結局、わたしのまえから消えてしまった。病気のせいで、太一くんを苦しめたくないし、この何週間かほんとに楽しかった。今日だけでも太一くんが抱き締めてくれて、わたしはすごく幸せだった」

梅雨の終わりの雨のようだった。きみは音を立てずに泣いていた。涙がぼくの鎖骨のくぼみにたまっていく。ぼくの目からも、冷たいしずくがいくつも耳のほうに落ちていった。ぼくたちは泣きながら、ずっと抱きあっていた。

美丘、ぼくはきみがすべてを話してくれた勇気に感謝していた。けれど、つぎにぼくが示した勇気もきみに負けなかったと思うのだ。ぼくは涙をぬぐい、きみの髪をかきあげた。白い傷跡をきれいに消してしまうように、ていねいに端から端までキスをした。

きみはありがとうといって泣いた。

ぼくもありがとうといって泣いた。

それから、ぼくたちはもう一度セックスした。

26

午後五時すぎ、ぼくたちはホテルをでて、渋谷の街にもどった。こんなにたいへんな数時間が流れたのに、街は明るいままで、いつもと同じように買いもの客で混雑している。そんなことにさえ、ひどく違和感を覚えた。

きみの告白をはさんで、二度のセックスをしたので、ぼくはくたくただった。身体はひどく疲れているのに、心は異常なほどの熱をもっていた。放っておけば、なにかわけのわからないことを叫びながら、渋谷の街を走りだしそうな気分だった。きみはもういつもの美丘にもどっていた。ついさっきまで、ぼくの胸をびしょびしょに濡《ぬ》らすほど泣いていたのに、平気な顔でいう。

「ねえ、太一くん。わたしアイスクリームたべたいな。それもチョコシロップがどろどろにかかったホット・ファッジ・サンデー。いい店知ってるから、そこいこうよ」

どろどろのところだけ強調して、きみは笑った。つい先ほどまで、ぼくたちはどろどろだったのだ。駆けるように、道玄坂を渋谷の街におりていった。ラブホテルの丘がしだいに遠くなっていく。この人といっしょにいよう。できる限り長くいっしょにいよう。一歩足をだすたびに、ぼくのなかで確信が深まっていった。

それがぼくときみのあいだで、七月なかばに起きたことだった。梅雨の晴れ間の蒸し暑い午後。前期試験最終日の夕方のことである。すべてをきいて、ぼくは迷わなかった。きみと死ぬのではない。きみと生きるのだ。一瞬をこの手につかんで、今を生きるのだ。

ぼくたちのほんとうの夏が始まったあの日、ぼくは焼き切れるほど幸福だった。美丘、きみにはきかなかったけれど、きみが同じように感じていたのもわかっている。あの日にぼくたちが見ていたすべての景色は同じだったはずだ。その世界の中心にはきみとぼくがいて、愛と勇気の力で世界を回転させていたのだ。かん違いだなんて、ぼくは誰にもいわせない。

きみの髪を分けてキスした瞬間、実際にぼくは世界を一回転はさせたのだから。

キスによって、ふたりの未来を選び、すべての傷と痛みにイエスといった。

そのことをぼくは今でも後悔することはない。

27

八月は、熱帯の夏だった。

梅雨が明けると、東京の空は一枚のおおきな青ガラスになる。濁りも傷も迷いもない、きみのようにクリアな空だ。底の知れない青さを見あげていると、きみの寝顔を見るときのように、なぜかぼくは泣きたくなるのだった。

曇りひとつなく磨かれたガラスの空のただなかには、目を焼かれるほどの熱の塊がある。日ざしは熱いのではなく、肌に痛かった。誰もが日陰に逃げこんだあの季節、ぼくたちはいつも手をつないで太陽のなかを歩いていた。きみの脳の奥深く巣くう悪いものを日光で消毒でもするように。

暑さなどまったく問題ではなかった。ぼくときみのなかにも、空を燃え落ちていく太陽に負けないほどの熱があった。ぼくたちは毎日会い、会えばかならず抱きあっていた。人類が何世代にもわたって命をつないできた快楽の秘密を、自分たちの手で解いた気になっていた。渋谷の路上を汗まみれで歩きながら、ふたりだけでアダムとイブになった気分だったのだ。

それは正解だったのかもしれない。ぼくたちがみな一度きりの命を生きるように、快楽もつねに一度きりだ。ネットやメールがリアルタイムでふりまく膨大な情報に打たれていても、ぼくたちは恋愛においてはいつだって原始人なのである。人を愛するときめきに胸を震わせ、ふたりの秘密をつなげる快感に身体をしびれさせる。それは何度繰り返しても、新鮮さを失わない不思議な力だ。命の秘密は、デジタル情報の海のなかにではなく、明日をも知れないか弱い身体の奥に潜んでいる。

美丘、ぼくたちの最後の夏が盛りを迎えようとしている。いっしょに暮らし、いっしょに働き、初めての部屋を借りた夏だ。ぼくはきみが生きていた証を、十分に残すことができたのだろうか。今でも真夜中に数千枚のデジタルカメラのイメージを眺めながら、きみはこんな顔をして笑わなかったと思うことがある。きみの胸のやわらかさは、ＣＣＤには映らないのだとくやしくなる。

それでも、ぼくはあの夏からきみの生命の記録者になったのだ。自分の身を削りながら輝き、空を横切る流れ星。きっと照れるだろうが、間違いなくそんなふうにきみは見えた。毎日のように胸を焦がしながら、ぼくは流星を抱いていた。

それが、最後の八月にぼくときみがしていたことだ。ぼくたちは抱きあうことで、時間の流れをとめようとした。一瞬の快楽の光りをとぎれることなく灯《とも》して、絶望的な願いをかなえようとした。

覚えているかい、美丘。ぼくたちがひとりずつではなく、ふたりでいっしょに生きようと決めたあのときのことを。

八月にはいって最初の数日で、ぼくときみの銀行預金は底をついてしまった。毎日のようにデートをして、ラブホテルをつかっていたのだから無理もない。その日、ぼくたちがいたのは最初のときのように豪華な部屋ではなかった。室内の面積の半分以上がダブルベッドで占められ、手を伸ばせば両側の壁にふれられそうな狭い一室である。

きみは裸のままぼくの横に寝そべり、外からもちこんだペットボトルの水をのんでいた。きみの白い背中がまっすぐに広がって、白い滑走路のようだ。ぼくは汗ばんだきみの髪をなでていた。いつもの癖である。手をあてることで、きみの脳を破壊する異常なプリオンの増殖をすこしでも抑えられたら。そんな気もちが、無意識のうちに手の動きになったのかもしれない。

セックスの最中は、ぼくはきみの病気について考えることはなかった。だが、すべてが終わってしまうと、あの倦怠《けんたい》のなかで黒い考えが頭のなかに湧きあがってくる。クロイツフェルト＝ヤコブ病の発生頻度は、およそ百万人にひとり。通常なら、四十代以降での発症が大半だ。きみの場合考えられるのは脳外科の手術による感染だ。医原性の薬害ヤコブ病ということになる。いったん発症してしまえば、回復や制御はできない。治療法も、特効薬もない。突然変異を起こした感染性のタンパク質によって、脳細胞が死滅し、脳がスポンジのように穴だらけになって死んでしまう。

破壊症状は深刻だ。それは頭痛や歩行困難から始まるという。テレビなどで足をふらつかせ、立ちあがることもできない子牛のニュース映像を見たことがあるだろうか。人間でも、あれと同じ症状がでるのだ。続く数カ月間で、思考力がなくなり、記憶が壊され、その人をその人らしくしていた、あらゆるパーソナリティが穴だらけにされていく。小脳の機能も破壊されるので、歩くことも話すことも笑うことも愛しあうこともできなくなるのだ。

きみがいつか落ちていく最終的な暗闇に、頭のいい研究者がつけた名称は、ぼくの恐怖の的だ。無動性無言。黙りこんだまま、身じろぎもできなくなる。最後はものをのみこむことが不可能になり餓死するか、呼吸筋が弱まり窒息や肺炎を起こすか。どちらにしても、ヤコブ病の死はスローに、だが決してとどめることのできない着実さでやってくる。

ぼくは渋谷のラブホテルの暗い天井が恐ろしくてしかたなかった。幻覚、麻痺《まひ》、発作、昏睡《こんすい》。図書館で読んだ医学書の一節が、渦まいているように見えたのだ。

「ねえ、太一くん、あとどれくらいお金ある」

無邪気なきみのひと言が、ぼくを現実に引きもどしてくれた。

「ぜんぜん残ってないよ。毎日デートしてるんだから、あたりまえだけど」

きみは上半身をがばりと起こした。つつましい乳房のした側のラインが、丸くてかわいかった。

「わたしさ、デートの帰り道、すごく悲しくなるんだ。だって、明日まで太一くんに会えないんだもん。ねえ、もう面倒くさいからいっしょに暮らそうよ」

ぼくたちはまだ大学生である。ふたりとも親と同居していた。きみのことは好きだったけれど、同棲《どうせい》など考えたこともなかった。

「だから、お金ないっていっただろ。部屋を借りるのも、生活道具を買うのも、水道や電気にだってお金がかかるんだよ」

きみはすっと風のない日の水面のような表情になった。こういう顔をしているとき、きみはいつも病気のことを考えている。ぼくの肩に頭をのせていう。

「お金ならなんとかなる。うちの親もわたしの薬害ヤコブ病のことを知っている。来年なんてないかもしれないってこともね。頼んだら貸してくれると思う。でも、それにはうちの親を説得しないといけないな」

ぼくは悲鳴のような声をあげた。

「きみのご両親の金で同棲するなんてできないよ」

きみの水の表情は動かなかった。

「ねえ、太一くんがいろいろ図書館で調べてるの、わたし知ってるよ。ヤコブ病の潜伏期間は平均十年くらいなんだ。わたしは五歳のときに頭の手術をしたから、もういつ発症してもおかしくない。死んだら、金なんて無意味だよ」

そのときのきみは怒ってなどいなかった。ただむしょうに淋《さび》しそうなだけだ。

「わたしはいつまで太一くんといられるか、わからない。その時間を買うためなら、なんでもするよ」

きみの目がうっすらと涙で赤くなっていた。ぼくの胸はぐらついていた。いっしょにきみと暮らせるのは確かにうれしい。だが、きみの家の金をつかうという考えが気にいらなかったのだ。

「わかった。いいよ。お金を借りることにしよう。ぼくがアルバイトをして、すこしずつでもきみのご両親にお金を返していくよ」

きみは笑って、ぼくの首を抱き、頰に濡《ぬ》れた音を立てキスをした。

「さすが男の子。太一くん、偉いぞ」

「やめてくれ。そんなこといってると、もう一回ご褒美もらうぞ」

きみは微笑みながら腕を広げ、ベッドに倒れこんだ。ぼくは体重をすべてかけないように気をつかって、ゆっくりときみのうえに重なった。

28

ぼくの家族ときみの家族が、初めて顔あわせをしたのは八月の第二週だった。場所は汐留《しおどめ》に新しくオープンしたばかりの外資系ホテルである。地上四十二階から眺める真夏の昼の銀座は、コンピュータグラフィックスでつくられた精巧なセットのようだった。横長のテーブルのむこうには、きみのご両親とお姉さん。こちら側には、ぼくとうちの親。ぼくは最高に緊張していた。結婚を申しこむときだって、あんなに硬くはならなかっただろう。なにせ、これから娘さんと同棲させてくださいというのだ。そのうえ、その費用まで貸してくださいと頼むのである。さすがのきみでさえ、表情がこわばっていた。

四歳うえのお姉さんは、きみとはまるで似ていなかった。美玲《みれい》さんは父親似なのだろう。背が高くやせていて、小柄なきみとは対照的だ。明るいグレイのOL風パンツスーツを着ている。ぼくの顔を見ると、かすめるように笑ってみせた。

「今回は急なことで、申しわけありませんでした」

ぼくの父が軽く頭をさげた。いい忘れたが、実家は下町の商店街でちいさな文具店を経営している。半分近くシャッターのおりたさびれた通りだから、きっと店は父の代で終わりだろう。つけ慣れないネクタイがきゅうくつそうだった。

「いえ、うちの美丘のほうこそ、わがままばかり申しまして……」

きみのお父さんは、意外なことに研究者タイプだった。黒い太縁のセルフレームは、ファッションでかけているのなら、いいセンスだった。だが、声の調子はそこで急に変わった。

「ですが、うちでは美丘をまだ外にだしたくありません。病気のことは怖いけれど、この子はできるだけ普通の女の子のように育てたい。失礼ですが、太一くんが娘さんだったら、おたくではこの若さで同棲など認めますか。まだ大学をでてもいないし、仕事についたこともない。同棲なんて早すぎます」

きみはコース料理の最初のメニューを片づけると、皿を押しやってふくれ面をした。

「だから、パパにはいってるじゃない。わたしは、みんなみたいにながくは生きられないかもしれないんだよ。いつ頭がすかすかになるかわからないの。一番好きな人と暮らして、なにがいけないの。時間がないんだよ」

きみのお母さんは、小柄なところはよく似ていたが、きみよりずっと上品だった。言葉のテンポがとてもゆっくりなのだ。

「ねえ、あなた。美丘のいうこともきいてあげましょうよ。この子は一度いいだしたらきかない子なんだし、太一くんも誠実そうな青年じゃないの」

ぼくはうちの母親の顔を見た。下町の女は、こういう話しかたにいらつくものだ。すごい速さで口を開いた。

「うちの太一はどうですかね。そんなに立派なものじゃありませんよ。若いから夢中になってるみたいだけど、こういうのは麻疹《はしか》と同じです。熱がさがれば、けろりとしているもんです」

家で話しているときは、味方になってくれるといったのに、どちらでもいいような言葉だった。ぼくはあきれて母を見つめた。きみはいきなり切れてしまったようだった。

「別にみんなが反対したって、かまわないよ。わたし、家をでるもの。太一くんといっしょにアルバイトして、部屋だって借りる。ふたりきりで、生きていく」

きみのパパは眉《まゆ》をひそめた。

「大学はどうするんだ」

「どうしてもお金が足りなくなったら、休学するか、退学する。どうせ、わたしはきちんと就職だってできないし、大学なんていっても意味ないよ」

話の流れが悪いほうにむかっていた。ぼくはきみの目を見ていう。

「ダメだよ。美丘が大学を辞めるなら、ぼくはいっしょには暮らさない。きみは今の勉強を続けて、きちんと大学を卒業するんだ。それで、できるなら仕事を探して、ちゃんと働いたほうがいい」

きみのパパが不思議なものでも見るような顔をして、ぼくを見る。

「病気のことも、時間がないのもわかっています。だけど、美丘さんは残された時間のなかで、みんなと同じように努力したり、苦しんだりして、成長しなければいけない。ぼくたちは誰だって、そんなふうに一歩ずつ生きていくしかない。そのあいだ、ぼくは美丘さんのそばにいたいんです」

きみのパパはぼくにうなずいてくれた。ずっと黙っていた美玲さんがいう。

「なんだったら、夏休みのあいだだけ試してみたら。海外では結婚するまえに試験的に同棲することがあるらしいよ。ねえ、パパ、いいでしょう。美丘には好きなことをやらせてやるって、子どものころはいっていたじゃない。太一くんだって、真剣みたいだし」

ワタリガニのパスタがやってきて、会話は一時中断した。きみの両親は、ぼくの成績のことや将来の希望について、細かな質問を投げてくる。どれもぼくが苦手なことばかりだ。成績は中の下くらい。将来やりたいと思っている仕事は、とくになし。趣味もこれといってなし。読書とパンク音楽は、生活の一部で趣味とはいいにくい。

パスタのあとは、子羊のローストになった。骨にからむ肉をナイフで切り離し、たっぷりのマスタードでたべる。生ぐささはなく、とてもやわらかだった。ぼくは緊張して味などわからないかもしれないと思っていたが、どの料理もしっかりとおいしかった。きみとのことについては誰がなんといおうと、気もちが揺らがなかったからかもしれない。デザートを崩しながら、きみのママがいった。

「さっき美丘が、自分もアルバイトをするっていったでしょう。わたし、それには反対だなあ。お医者さまにもいわれたでしょう。感染していた場合、すこしでも発症を遅らすには、なるべくストレスをためないようにしたほうがいいって。美丘、がんばり屋さんだから心配だわ。ねえ、あなた」

きみのママはじっと夫を見つめた。きみが奇跡的にあと二十数年を生き延びて、ぼくと結婚したら、こんな目でぼくの心を溶かすことになるのだろう。そんなふうに感じさせる真剣だが、あたたかな視線だった。美玲さんがちらりととなりに座るきみを見た。

「わたしからもお願い、パパ。この子、思いこんだらなにするかわからないでしょう。ほんとに鉄砲玉みたいなんだから。好き勝手にさせるより、適当に遊ばせて監視したほうがいいよ」

どうやらきみの家族は、きみの性格をよく把握しているようだった。ぼくの両親もそろって頭をさげた。父はいう。

「若い者同士の考えを尊重してやってくれませんか。美丘さんはかわいいお嬢さんだ。きっといいお嫁さんになる」

考えてもいなかった言葉が父の口からでた。一日中レジの奥に座って、ぼんやりとほこりっぽい商店街を眺めている父とは別人のような台詞《せりふ》だった。ぼくの父のひと言で、きみのパパの表情が動いた。

「そこまで、みなさんがおっしゃるなら、太一くんと美丘がいっしょに暮らすのを認めましょう。でも、それには条件がある。まず、ふたりとも大学をきちんと卒業すること。それに卒業後はちゃんと結婚すること。さっき、美玲がいいましたね。結婚の試験期間としての同棲がヨーロッパでは一般的だと。それなら、ふたりには正式に婚約してもらいたい」

きみのママがまたおっとりといった。

「どうなの、美丘、太一くん」

ぼくはきみの目を見た。いきなり婚約を切りだされる。こんなふうに話が変わるなんて、想像もしていなかった。きちんと短めの髪をセットしたきみの背景は、まぶしいほど青い銀座の夏空だった。ぼくの気もちに迷いはなかった。というより、あのころはふたりでいっしょに暮らせるなら、どんな条件だってのんだと思う。ぼくたちは、ほとんど同時にいった。

「はい、わかりました」

その返事でレストランの一角が明るく華やいだように見えた。きみのママは涙ぐんで、ナプキンで目の端を押さえている。よかった、よかったといって、父親同士はグラスワインのお代わりをした。ぼくは声が裏返らないようにするのが精いっぱいだった。

「それで、あの、ずうずうしいお願いなんですけど、部屋を借りたり、家具をそろえたり、決して贅沢《ぜいたく》はしないつもりなんですが、お金がかかるんです。美丘にもぼくにも、そんなものはありません。あとでアルバイトをして返しますから、費用を貸していただけないでしょうか」

きみも重ねていう。

「ねえ、いいでしょ、パパ。お金って、こういうときのためにあるものじゃない。ちょっとだけ貸して、ね」

「待ちなさい」

そのとき、ぼくの父が口を開いた。

「さしてもうかってはいなくとも、うちだって商売をやっているんだ。その費用は折半にしましょう。太一はアルバイトをした分から、すこしずつ家にもどしなさい。美丘さんはご両親に助けてもらうといい。ふたりで暮らすんだ、費用も半々がいいでしょう」

慣れないネクタイをした父が、奇妙にカッコよく見えた。似あわないワイングラスなどをもっているせいかもしれない。きみのパパは右手をあげていった。

「そうしましょう。じゃあ、ここからは婚約の祝宴だ。シャンパンでいいですか」

きみのパパはもの慣れた様子で、黒服のウエイターにワインリストを頼んでいる。ぼくはあらためて急に婚約者になったきみを見つめた。ホテルにあわせたのだろうか。きみは白いサマードレスを着ていた。胸からウエストの切り替えにかけて、透けるようなレースが二枚重ねになったドレスだ。きみはぼくの顔を見ると、にっこりと笑った。声をださずに、唇の形だけでいう。

(あ・と・で・H・し・よ・う・ね)

ぼくは、そのときうなずいたのか、シャンパンをがぶのみしたのか、よく覚えていない。きっと新たな婚約者の唇がよほど衝撃的だったのだろう。

29

ホテルの車寄せで家族と別れて、ぼくたちはようやくふたりきりになれた。きみは背伸びをしていう。

「あー、疲れた。なんで、親の顔見ると疲れるのかなあ」

ぼくたちはぶらぶらと銀座にむかって歩きだした。夏の夕暮れの風が熱気をはらんだまま、背中を押してくれる。

「でも美丘のパパには驚いたよ」

きみは急にぼくの腕にぶらさがった。うわ目づかいで見あげるきみの目にぼくは弱いのだ。目をそらして、灯《とも》り始めたネオンサインを眺める。

「だって急に婚約しろなんていうから」

きみは平然といった。

「ああ、あれね。あんなの調子をあわせておけばいいんだよ」

ぼくは驚いて、銀座中央通りの歩道で立ちどまった。

「じゃあ、美丘のこたえは本心じゃなかったのか」

きみはふざけて、腰を折ってぼくの顔を見あげるようにした。周囲を歩く買いもの客が、なにがあったんだろうという顔で、ぼくたちを避けていく。

「へへへ、わたしのことはいいじゃない。それより、太一くんはどうだったのかな」

くやしかったけれど、ぼくはまじめに返事をした。それは冗談にも、どうでもいいことにも思えなかったのだ。

「そっちがどうだったかわからないけど、ぼくは真剣だったよ。本心できみと婚約してもいいと思った」

銀座のビル街に夕日がななめにあたっていた。無数のガラスがくすんだオレンジ色に燃えている。きみの声は急に女の子のように変わった。

「ねえ、太一くん。今のもう一回いってくれる?」

ぼくはきみから身体をそむけて、どこかのブティックのショーウインドウをむいた。夢のようなスタイルをしたマネキンが肩だしのソワレを着て立っている。

「冗談はやめてくれ。ふざけてるなら、今夜はもう帰るよ」

「お願い……」

ぼくは声の調子に驚いて、あわててきみを振り返った。顔のした半分は笑っている。だが、目を見ると涙が今にも落ちそうだった。

「わたしだって、真剣だったよ。だから、うちのパパにきかれたからじゃなくて、ちゃんとわたしにいってほしいんだ。太一くんはわたしと」

手を振って、きみの言葉をとめた。そこから先をいわれてしまったら、ぼくの立場がない。

「待って、続きはぼくがいう」

ぼくたちはたくさんのカップルがいきかう歩道で立ち尽くしていた。長い影が足元から遠く伸びている。深呼吸をしてから、ていねいにいった。

「美丘、ぼくと婚約してくれないか。きみとずっといっしょにいたいんだ」

最初はなんの表情もなかった。それが急に泣き顔になって、こらえていた涙が数滴ずつ頬をすべっていく。最後にきみは泣きながら、大輪の花が咲くように笑った。ちいさな身体をぶつけて、ぼくに抱きついてくる。

「もちろん、いいよ。太一くんは、ほんとに、わたしでよかったんだ。うれしーよ」

きみはぼくの胸に額を押しつけるようにして、泣いていた。贅沢な大人の街をいく人々が、なぜかスローモーションに見えた。北極星のように揺らぐことのない世界の静止点に、抱きあったままぼくたちは立っている。

ぼくはかよい慣れた銀座のスカイラインを眺めた。八月の夕暮れの銀座の光景。これを忘れることなく、胸に刻むのだ。きみの頭に鼻をうずめて、女の子の甘い汗のにおいをかいでみる。髪のあいだに白い傷跡がすこしだけ見えたけれど、そのときのぼくはなにも気にしなかった。夏はまだ盛りだし、まだまだこの時間が続くと思っていたのだ。

顔をあげたきみは化粧が崩れて、ひどい様子だった。睡眠不足のパンダのような目をしている。

「ねえ、銀座ってラブホないの」

吹きだしながら、こたえる。

「そんなのこの街にあるはずないだろ」

きみはウエットティッシュで目のまわりをぬぐった。さっさと中央通りでメイクを落としてしまう。

「じゃあ、すぐに渋谷にもどろうよ。あのレストランにいるときから、むずむずしてしょうがなかったんだ。わたしは、お姉ちゃんみたいに優等生じゃないもん。太一くんは、どうだった」

地下鉄の駅にむかって歩きだした。背中越しにいう。

「ぼくも。なぜ、家族になんか会うと、逆にやらしいことしたくなるんだろうな」

きみは小走りでぼくに追いついて肩を並べ歩きだす。

「へへへ、さっきの太一くん、かわいかったからさ、今日は全部わたしがしてあげるね。あーんなことや、こーんなこともして、おもちゃにするんだから」

「勝手にすれば」

ぼくは銀座線につうじる階段を駆けおりた。吹きあがる風で白いシャツの背中が、帆のようにふくらむ。

「待ってよ。太一くん」

踊り場で、ぼくはきみを腕を広げて待った。抱きあい、もつれるように改札にむかう。灰色の人波のなかで、ぼくたちは幸福だった。渋谷に着くのが待ち切れないくらいだ。この人とあと数十分後には、ひとつに結ばれている。そんなふうに感じる瞬間は、生きているときでもっとも輝く時間のひとつである。

ぼくはしっかりときみの手をにぎって、銀座線のアルミの車両にのりこんだ。

30

光り輝くときは、いつもそうと気づかぬうちにすぎてしまう。

ただ普通に暮らしていただけなのに、振り返るとまっすぐに見つめられないほどまぶしい日々がある。きっと誰でもそんな宝石のような時間をもっているのだろう。思い出の戸口に立つだけで、自然に口元に笑みが浮かび、目はこの世界ではなく、やわらかに過去の光りに吸い寄せられる。そして記憶の明るい部屋に踏みこむ瞬間、誰もが必死に引き返そうとするのだ。

あの輝きとくすんだ現在をくらべたくない。いくら若く豊かでおしゃれな暮らしをしていても、心の底では決して満たされていないのだ。眠りにはいる直前に思うのは、明日のことではなく、すでにすぎてしまった時間のことである。生きるうえで欠かせないなにかを決定的に失ってしまったと、誰も認めたくないのだ。一度そう気づいてしまえば、あとに待つのは眠れない夜だけなのだから。

美丘、ぼくはきみのせいで、そんな夜をもう数十となく見送ってきた。気がつくと空が明るくなり、妙に街のノイズがおおきくきこえる空しい朝だ。きみのいない世界にぼくは残された。さあ、これからまた新しい一日が始まる。また別な徒労の日。きみのいない部屋でひとり朝食をとり、きみのいない地下鉄にのって、きみのいない大学にいく。読み返すことのないノートをていねいに取り、休み時間には味のない学食をつめこんで、屋上にのぼり空を見る。ぼくはきみのせいで、東京の空模様にひどく詳しくなった。雨が降る直前の冷たく湿った風、あれはきみとの最後のキスによく似ている。

ぼくときみがいっしょに暮らし始めた八月。あの夏の光りと夜のやさしさ。あの日々には恐ろしいくらいの力があって、静かに凪《な》いだ心を嵐に変えてしまうのだ。心は吹きすさんで、悲しみと怒りを横なぐりに撒《ま》き散らす。なぜ、きみはここにいないのか。どうして、きみはひとりでいってしまったのか。なぜ、ぼくは自分ではどうしようもないことに、これほど傷つけられなくてはならないのか。

だから、ぼくは語ろうと思う。記憶から力を奪い、過去を本来あるべき場所にもどすために、語り続けようと思う。

それはきみとぼくの最後の夏の話だ。

あの夜明けの山中の依頼を、きみは覚えているだろうか。

きみは共犯者の笑顔でぼくにいった。

わたしの証人になってほしい。

無実の証ではなく、自分が生きていたという事実を証言するために、命の火をぼくの目と心に焼きつけてほしい。それがどれほどたいへんな仕事か考えるまえに、ぼくはうなずいていた。きみを傷つけたくなかったし、あの時間と背景があまりにも完璧《かんぺき》だったからだ。

きみから受けた依頼を、ぼくはちゃんと果たせたのだろうか。

それが今でも、ぼくの疑問だ。

家族会議のあと、ぼくたちの生活は急にあわただしくなった。

いっしょに暮らすために、物理的な基盤が必要になったのだ。きみは東京の西部、ぼくは同じく下町に住んでいた。どちらも実家をでて、ひとり暮らしをしたことはなかった。ふたりで住む部屋をすぐに手あてしなければいけなかったのである。

費用はおたがいの親から借りることができたけれど、その月からすこしずつでも返済していくつもりだった。生活費はなんとかふたりの収入でまかなわなければいけない。ぼくたちは見慣れない賃貸住宅情報誌と求人誌をチェックし、不動産屋とアルバイトの面接にこまめに足を運ぶことになった。

大学が青山にあったので、ぼくたちは家賃が少々高くついても、近くで部屋を探すことに決めていた。これからは自分の部屋と学校とアルバイト先の三ヵ所を一日のうちにいったりきたりすることになる。移動の時間を削れば、それだけアルバイト時間を増やして、収入をあげられるのだ。きみにはいわなかったけれど、ぼくはきみの病気も心配だった。

厳しいストレスが発症を早めるのではないかと気になってしかたなかったのである。

ぼくたちが決めたのは、あまりやる気のなさそうな茶髪の不動産屋が案内してくれた四件目の物件だった。表参道の交差点をすぎて、根津《ねづ》美術館にむかうブティック通りのつきあたり右手にある築三十年を超える旧式のマンションだ。白く塗られていたはずの外壁は明るいネズミ色。エントランスにはやけになったように鮮やかなブルーのタイルが張られていた。きみはオートロックのないエレベーターホールで肩をすくめた。

（まあ、こんなもんじゃない）

ぼくもため息をついて、同意のテレパシーを送った。すでにみっつの部屋を内覧して、ぼくたちの予算ではとてもテレビドラマの舞台になるようなきれいなマンションを借りられないことが身にしみてわかっていたのだ。

案内されたのは三階の角部屋だった。重い金属のドアを開けるとフローリングの床がまぶしかった。不動産屋は胸を張る。

「オーナーが床を張り替えたばかりです。東南の角にあたるので、日あたりがとてもよくて、ワンルームの部屋で二面採光というめずらしい物件です」

室内は見てまわるほどの広さではなかった。八畳ほどの縦長の部屋には、ちいさなロフトがついていて、狭いながらも眠るためのスペースと生活空間を分けることができそうだった。ユニットバスではなく、タイル張りの風呂《ふろ》も好感度が高い（もっとも給湯器はいかれていて、シャワーの最中たびたび湯温を微調整しなければならなかったけれど)。

不動産屋はなにもいわずに、クリップボードを手にさげて、ぼくたちの反応を眺めていた。土ぼこりだらけのバルコニーで足の裏を真っ黒にして、ぼくたちは相談した。

「どうする？　ここは予算より一万八千円も高いよ」

きみは日に焼けた手すりにもたれて、美術館の緑に目をやった。

「でも、学校からも表参道の駅からも四百メートルと離れていない。フローリングはぴかぴかだし、古いから天井も高くて、壁も厚そう」

にやりと笑って、ぼくをうわ目づかいに見る。

「ちょっとくらい声をだしてもだいじょうぶかも」

茶髪の不動産屋がバルコニーに顔をのぞかせた。

「どうしますか。つぎの物件、見ます？」

ぼくたちの声は昔のアイドルデュオのようにそろった。

「ここに決めます」

荷物を運びこんだのは、契約の翌日だった。ふたり分をあわせても、たいした分量ではなかった。引っ越しは経費を浮かせようと、邦彦と洋次のふたりに頼んだ。邦彦が友人からワンボックス車を借りて、半日で新しい部屋を二往復したのだ。

クローゼットのなかはきみの服が八割、残りがぼくの。狭いので机やソファはあきらめて、すこしおおきめのガラステーブルを部屋の中央においた。それ以外の家具はなにもないがらんどうの部屋だ。新しく買ったのは、激安ショップで手にいれた生成りのカーテンとマットレスくらい。

あっという間に荷物の搬入がすんで、邦彦は拍子抜けしていう。

「なんだ。こんなに簡単な引っ越しなら、午後のデートの約束、キャンセルしなけりゃよかった」

きみはペットボトルからサイダーを注いでいった。

「へえ、新しいガールフレンドできたんだ」

「そりゃあ、おれだってなにもしないで夏を終わらせるつもりはないよ。まあ、太一みたいに手が早くはないけどな。いきなりおまえたちがいっしょに暮らすときいて、ほんとびっくりした」

確かに大学在学中の同棲《どうせい》は、同じグループの友人たちのあいだに衝撃のニュースとして広がっていた。ぼくたちのほうでは、そんな反響に気をまわすゆとりはなかったけれど。なにせ新しい暮らしの形をつくるのは、びっくりするほど面倒な作業の連続だ。洋次はそうだといって、部屋からでていった。しばらくしてもどってくると、おおきな段ボール箱を抱えてくる。

「これ、うちの親が送ってきたやつなんだけど、よかったらつかってよ。ぼくは自炊なんてぜんぜんしないから」

きみは段ボールに飛びつくと、歓声をあげた。なかからは新しい食器や鍋《なべ》類がでてくる。耐熱ガラスのミルクパンやステンレスのソースパンは、顔が映りそうなくらいぴかぴかだ。

「ありがとう、洋次くん。細かいものをまだいろいろと買わなくちゃいけなくて、お金足りないなあって思っていたんだ」

きみは洋次に抱きついた。洋次が顔を赤らめると、邦彦がいった。

「おれもデートをやめて、引っ越し手伝ったんだから、抱っこしてくれよ」

きみは上着を手に取るといった。

「はいはい、ありがと。そっちのお礼はたべものだから。さあ、いきましょう」


ぼくたちがはいったのは、青山通り沿いにあるそば屋だった。手打ちの名店なんかじゃなくて、ごく普通の店だ。青山にだって、ラーメン屋もカレースタンドも普通のそば屋もある。おごりだから好きなものをというと、邦彦と洋次はざるそばと天丼を注文した。ポップス一曲分ほどのあいだに、がつがつとたいらげてしまう。きみはあきれていった。

「あんたたちって、ほんとにおごりがいがないなあ。アルバイトの二時間分を三分で片づけちゃうんだから」

邦彦は氷水のコップを空にすると、手をあげて店の人を呼んだ。

「お水お代わり」

声をさげて、ぼくのほうをちらりと見た。なにかたくらんでいるときの流し目だ。

「このあと、いつものオープンカフェでコーヒーでものまないか」

すかさずきみがいう。

「わたしもちょっと疲れちゃった。なにか甘いものたべたいなと思ってたところ。でも、そっちの店はおごりじゃないからね」

「わかってるよ。美丘、急に主婦みたいに金にうるさくなってないか」

きみはぼくのほうを見て、眉《まゆ》をひそめた。

「それが、なにか？　うちの人の稼ぎが悪くてね」


ぼくたちはにぎやかに冗談と笑い声を飛ばしながら、表参道の交差点をわたり、夏の日ざしのなかに白い帆布の屋根を張りだしたカフェにむかった。なぜか歩道側の最前列には、外国人と見栄えのいいカップルだけが並んでいる。こういうのも人種差別というのだろうか。ぼくたちがとおされたのは、まえから二列目の端のテーブルだ。一軍半というところだろう。

オーダーを取ったウエイトレスがいってしまうと、きみはなにかを見つけたようだった。

「あっ、あそこ」

きみが指さした方向に目をやった。ハナエモリビルのほうから輝く横断歩道をわたって、麻理と直美がやってくる。麻理はおおきな花束を、直美はリボンのついたガラスの花瓶を抱えていた。ぼくはいった。

「どっちが手配したんだ」

洋次が悪びれずにいった。

「ぼく。だって、いつまでもケンカしてても、しょうがないよ。美丘が太一といっしょに暮らすことで決着がついたんだから、昔のことは水に流して、そろそろ六人組の復活もいいんじゃないかなと思って」

ぼくはきみの顔を見ていた。渋谷の歩道橋のしたで、きみが麻理に頰を張られたときの音をぼくの耳は覚えている。あの痛い音。心配していると、きみは立ちあがって、小走りで店をでていった。硬い日ざしがまうえから落ちる歩道で、ふたりを出迎える。

白いサマードレスの麻理が花束をさしだすと、きみは身体をぶつけるように麻理に抱きついた。

「ありがとう」

叫び声はすこし離れたぼくたちの席まで届いた。外国人のカップルが笑って、きみたちを見ている。きみはすこし泣いているようで、しばらく麻理から離れなかった。一番小柄なきみが両側から肩を抱かれてやってきた。ウエイトレスがテーブルをつなげてくれる。席に着くときみはいった。

「洋次くん、ここの店もおごりにする。ありがとうね。わたし、麻理さんのこと、ずっと気になっていたんだ」

洋次はなんでもないという調子でうなずいた。

「気にしなくていいよ。さっき携帯で電話しておいたんだ。じゃあ、チョコバナナのパイを追加で頼もうかな」

邦彦が調子にのっていった。

「ここのパイうまいよな。おれも追加でひとつ」

きみは涙目で邦彦をにらんだ。

「あんたはダメ」

笑い声が静まると、麻理がきみとぼくを順番に見た。

「ふたりがいっしょに暮らすというから、びっくりしたけど、太一くんのことだから、なにか理由があるんだよね。美丘さんが本気だってわかったから、わたしはふたりを応援する」

テーブルのまんなかにおかれた花束は、夏らしくひまわりとガーベラが中心だった。鮮やかな黄色とオレンジ。きみによく似あう元気のいい色だ。直美は涙もろいので、美丘が泣いていた様子を見て、自分ももらい泣きしていた。

「また昔みたいにみんなで遊べるね。わたし、麻理も美丘も好きだから、ほんとにうれしい」

きみは目を赤くしてうなずいた。

「わたしもうれしい。直美ちゃんも、おごりだからね」

邦彦が混ぜ返した。

「だから、おれのパイはどうなんだよ」

「あんたはダメだって、いってるでしょう。それよりさ、これからどこかでお酒とおつまみを買いだして、新しい部屋で最初の宴会をやらない。みんなで酔っ払って、夜中まで騒ごうよ」

いいねえという声が重なって、引っ越しの日はそのまま宴会になだれこんだのだった。

31

ぼくたちのアルバイトは残念ながら同じ店ではなかった。ぼくは渋谷パルコの地下にあるおおきなブックセンター、きみは表参道の路地裏にあるカフェに決まった。きみは心配そうにいう。

「わたし、あの本屋さんを偵察してきたけど、店員の人、若い女性ばかりだった。なんだか心配だなあ。太一くんって本好きな女の人にもてそうだから。わたしが読んでない本の話なんかして、盛りあがったりしてさ」

確かに書店員には若い女性が多かった。それも渋谷の街では見かけないような、しっとりとしとやかな人ばかりだ。とくにぼくが自分で希望して配属された文芸書担当はそうだ。

「気をつけるようにする。でも、恋っていつ始まるかわからないから」

ぼくはきみの顔色を楽しみながら、数カ月まえのことを思いだしていた。きみとの出会いだって、交通事故のようなものだった。真剣な顔できみはいう。

「わたしは麻理さんみたいにやさしくないから。その相手を殺しちゃうかもしれないよ」

そういうときの目が無邪気な動物のように見えて、ぼくはきみの髪をくしゃくしゃになでてやった。

「それより旅行の準備をしよう」

狭いワンルームには、旅の荷物が散らかっていた。テントに寝袋、たくさんのタオルにつば広のキャップ。着替えはTシャツとジーンズとウインドブレーカーだ。おしゃれなジャケットやドレスなんて一枚もない。アルバイトが本格的に始まるまえに、旅行をすることにぼくたちは決めていたのだ。

行き先は日本有数のロックフェスティバル。ぼくたちはきれいなリゾートホテルになどいきたくはなかった。自然のなかに自分でテントを張り、日本中から集まった音楽好きないかれたやつらとバカ騒ぎをしたかったのだ。

ロックフェスの会場は、越後湯沢《えちごゆざわ》駅からバスで小一時間くらいの山のなかだった。冬のあいだはスキー場になるゆるやかな斜面の草地だ。会場にはいってしばらく歩くと数日まえに降った雨のせいで、スニーカーはどろどろになった。ボランティアにゴミ袋をわたされ、キャンプサイトにむかう。ここのフェスティバルは世界一クリーンなことで有名なのだ。きみは首にさげたタオルで、汗をぬぐいながらいう。

「ふう、これくらいの坂でも、舗装してないと歩くのきついね。それにこの草のにおい」

思い切り息を吸いこんだら、肺のなかが青く染まりそうな草いきれだった。酔っ払って、そのあたりの草むらで倒れている男が何人も目についた。会場を歩いているのは、みな妙にハイな笑みを浮かべたほこりまみれの若者で、でたらめに自由な空気にぼくは酔っていた。遠くの丘のむこうから、雷のようにPAの音がとどろいてくる。ぼくは自然に早足になった。

「早くテントを張って、ステージを見にいこう」

きみは背中のデイパックを背負い直していう。

「わたしはお腹すいちゃった。コンサートのまえになにかたべようよ」

本格的なインドカレー、トルコのケバブ、ハワイのロコモコ。酵母パンにオーガニックワイン。この会場には世界中のスローフードが集合している。

「いいね。でも、先にテントだ」

ぼくは斜面を埋め尽くすカラフルな卵のようなテントを避けて、手ごろな空き地を探すためにキャンプサイトの奥深くはいっていった。

二時間後、ぼくたちはすっかりできあがっていた。テントを張って、ステージにいく途中でビール売りにつかまってしまったのだ。スパイスの効いたケバブと丸のままのキュウリとトマト。あとはビールとよく冷えた白の有機ワイン。ぼくたちは意味もなく笑いながら、アルコールを身体のなかに流しこんだ。太陽は空をゆっくりと横切って、周囲には同胞と思える無数の人たち。気もちよく酔っ払うには最高の環境だった。

夜になるまで出演バンドのタイムスケジュールを確認しながら、六ヵ所あるステージを駆けまわる。靴だけでなく、Ｔシャツもジーンズもすぐに泥とほこりと汗でぼろぼろになった。きみは知らないバンドにも、今いちのバンドにもやさしかった。コールアンドレスポンスがＭＣとともに始まると、飛びあがってこぶしを抜けるような青空に突きあげる。きみは気づいていただろうか。ぼくは音楽のビートに身体を揺すりながら、半分は泥だらけのきみを見ていたのだ。

パエリアとミネラルウォーターをさげて、テントにもどったのは夜の十一時近くだった。草むらのなかきらきらと無数の光りが揺れている。疲れ切っていても、きみの反応は素早かった。

「見て、あれ。いってみよう」

まわりにはたくさんの人が無言で集まっていた。色とりどりのキャンドルが、森のなかに無造作におかれている。それが光りの川を思わせるような、美しい流れをつくっていたのだ。きみはそっと指先をぼくの手にからめてきた。

「太一くん、わたし、あなたと会えてほんとうによかった。今夜ふたりで見たこの光りを忘れないようにしようね」

きみの手を力をこめてにぎった。

「美丘、急にこんなことというと変だって思われるかもしれないけど、今すごくしたいんだ」

目のふちを赤くして、きみはぼくを見あげた。恥ずかしそうな顔を照らすのは、淡くやさしいロウソクの光りだ。

「わたしもそう思ってた。たくさんやっちゃおうか」

ぼくたちは早足でテントにもどった。シャワーもエアコンもテレビも、それどころか電球の光りさえない山のなかだった。ぼくたちは周囲のテントにきこえないように息をつめてセックスした。汗のにおいも、身体の汚れも気にならなかった。すべて口できれいにすればいいのだ。

結局パエリアをたべたのは、真夜中の一時すぎだった。冷めたパエリアは硬かったけれど、それでもひどくおいしかった。ぼくたちはおたがいの手で相手の口に米を運びながら、理由もなく笑っていた。誰かとても好きな人と夏の夜にテントに閉じこめられるのは素晴らしかった。セックスも虫の声も素晴らしかった。きみの汗とセックスのにおいも素晴らしかった。

それからぼくたちは手をつないで眠った。それは垂直の崖《がけ》から飛びおりるような、夢さえはいるすきのない眠りだ。

目覚めるときみが暗闇のなか動いていた。

「どうしたの」

新しいTシャツをかぶって、きみはいう。

「目が覚めた。なんだか、どこかでステージをやってるみたいだから、見にいこうかと思って。眠かったら、寝てていいよ」

耳を澄ますと、かすかなビートがテントのなかでもきこえていた。身体を起こし、腕時計を確認した。午前四時半。まだ三時間ほどしか眠っていないのに、きれいに眠気は消えていた。ぼくも短パンとTシャツを身につける。

「いっしょにいく。なんだか、ぜんぜん疲れてないし、すごく元気みたいだ」

それは下半身にも明らかだった。数時間まえにあれほど激しくきみを抱いたのに、ぼくのペニスは金属を包んだ革のような手ざわりだったのだ。きみはかすめるようにぼくをにぎって、笑った。

「へへ、若いね。ダンナ」

夜明けまえの薄暗がりのなかテントを避けながら、音のほうにむかって歩いた。メインの会場から、すこし離れた小高い丘のうえにちいさなステージと照明が見えてきた。観客は寝そべったり踊ったり、思いおもいのスタイルで夜明けのレイブパーティを楽しんでいる。音楽は工場の千トンプレス機のような重いジャーマン・テクノだ。

きみはステージを見つけると、草のなか走りだした。お尻《しり》がなんとか隠れるくらいのカットオフジーンズ。泥まみれのスニーカー。ぼくもあとを追った。観客のなかにはいり、きみはでたらめに元気なステップを踏み始める。靴のつま先を大地のなかに蹴《け》りこむように、原始のダンスで身体を揺する。ぼくの耳元で叫んだ。PAの音がすごいので、それでもようやくきこえるくらいだ。

「なんだか、ものすごく気もちいい」

きみは両手を青ガラスのような空にむかって広げた。東の空は白く冴《さ》えて、山の稜線《りょうせん》の形に新しい光りを秘めている。ぼくはシンセサイザーのビートに、全身を揺さぶられていた。ここには二十世紀も二十一世紀もない。人は時代を超えてつながったただの命で、今から二万年まえだってきっとこうして夜明けに踊っていたのだ。

「見て」

東の空が破れて、山の縁から矢のように銀の光りがこぼれ、空をまっすぐに駆けた。拍手と歓声がコンサート会場に湧き起こる。ぼくはきみの顔を見た。朝日を浴びて輝くようだ。それはぼくの覚えているもっとも気高いきみの表情である。きみは叫んだ。

「太一くん、わたしの証人になってね」

意味がわからずにぼくはきみの口元に耳を寄せた。きみは朝日をつかむように両手をあげた。

「わたしが生きていたことを証言するの。峰岸美丘はここに生きていた。太一くんを愛していた」

ぼくは踊りをとめて、きみにうなずいた。夜をはがすように、朝日が空の半分を白く染めていく。音楽も山も緑も美しかった。そのなかで一番きれいだったのは、もちろんきみだ。

「わたしの命の火が燃え尽きる最期のときまで、太一くんはカメラマンになるんだよ」

きみはぼくの頬に手をあててぼくの目にキスした。

「大好きなこの目にわたしの命を焼きつけてね。絶対に消えないように心に刻んでね。わたしが、生きていたんだって。それでなにもかも受けいれられるくらい、深くて強くてやさしかったんだって」

きみはTシャツを汗で身体に丸く張りつけて、泣き笑いの顔になった。ぼくは必死でうなずき、きみの頭を抱いた。髪をかきわけ、白い傷にキスをする。きみは泣きながらいった。

「それともうひとつの約束をしてほしい。いつか、わたしがわたしでなくなったら、太一くんのこの手で」

きみはぼくの右手をとり、自分の左胸にあてた。

「この手で終わりにしてほしい。自分が生まれるときも選べないんだから、死ぬときだけ好きに選ぶなんて生意気だっていう人もいる。でも、わたしは自分が自分でなくなったのに、ただ身体だけで生きてるのは絶対に嫌。だから、この手で終わりにしてほしい」

きみは真剣にぼくを見あげた。ぼくは返事ができなかった。大好きなこの身体を終わりにする。ぼくが美丘の命の火を吹き消す。頭のなかで黒い思いが無数に湧きあがってくる。それは犯罪になるのではないだろうか。

「わたしは病気なんかじゃなく、大好きな人に殺されるほうがずっといいよ。わたしは自分が生きてきたように死にたい。それは贅沢《ぜいたく》な願いなのかな」

きみはぼくの胸に額を押しあて、もう隠すことなく泣いていた。周囲ではお祭り騒ぎが続いている。となりで踊っている女の子が、ぼくのほうにミネラルウォーターのペットボトルをまわしてきた。ぼくは微笑んで、首を横に振った。

夜明けの空に目をやった。消えていく星たちを見た。光りの粒がまぶしい空に溶けていこうとしている。いつかこの人の命の最期の光りをぼくが消すのだろうか。自分でも決心がつかないうちに、ぼくはきみの肩を抱いていっていた。

「わかった。ぼくはきみが生きていたことの証人になる。いつか最期のときがきたら、この火を消してあげる。美丘、ぼくもきみといっしょに生きられて、ほんとうによかった」

ぼくたちは朝の光りと音楽のビートに打たれて、抱きあったまま立ち尽くした。あのときの約束を、ぼくは後悔したことはない。誰かを愛することは、その人の命の責任をとることだ。今のぼくにはそれがわかっている。それを教えてくれたのは、あの夜明けの汗くさいきみだった。

32

夏が終われば、秋がくる。

それは単純な事実かもしれない。だが、熱帯のような夏の日ざしに打たれている最中、誰がこの夏がすぎ、つぎの季節がやってくることを信じられるだろうか。今の、この瞬間は永遠に続く。乱れた胸の鼓動も、伸ばした指先も、大切な人がむけてくれるやわらかな笑顔も、明日だってきっと続くのだ。ぼくたちは周囲にあるすべてが変わらないままだと仮定して、なんとか不確かな命を今日につなぎとめている。

美丘、九月はぼくたちが笑いながらすごせた最後の月だった。きみとぼくが心から笑った最後の時間である。朝目を覚ますと、ぼさぼさの頭をしたすっぴんのきみが寝ている。暑いといってエアコンの吹きだし口のしたで、短パンの脚を広げて転がるきみがいる。失敗した料理にオリーブオイルをあふれるほどかけて、これでイタリアンになったと笑うきみがいる。

今思えば奇跡のようなすべてを、ぼくはあたりまえに受けとるだけだった。病気のことなど忘れて、ゲームのような同棲《どうせい》生活をたのしんでいたのだ。だが、ゲームにはいつか終わりがきて、たのしんだ分の代価を払わなければならない。そんなあたりまえのことさえ忘れて、ぼくたちはただむやみに笑ってすごした。

きみといっしょに暮らすようになって一ヵ月以上がたった。もちろんふたりとも、家族以外の誰かと暮らすなんて、生まれて初めてだった。生活習慣の違いは、まるで別な国に生まれたふたりのようだ。お風呂《ふろ》には入浴剤をいれるか、いれないか（きみはいれるほうで、ぼくはいれない）。家事の分担はどうするか（結局きみは洗濯、ぼくは掃除、料理はふたりで）。シャツにアイロンはかけるか（きみはアイロンが苦手で、ぼくは得意）。

心理学では、恋人との共同生活をスタートすることは、ストレスリストのかなり上位にあがっているくらいなのだ。ちいさな衝突は無数に発生した。けれども、細かな違いは時間さえかければ、いつかは落ち着くところが見つかるものだ。相手のことをあきらめさえしなければ、なんとかなる。

きみにはいわなかったけれど、酔っ払って寝ると、きみはいびきをかく癖があった。誘っているわけでもないのに、風呂あがりにショーツ一枚であぐらをかくのもやめてもらいたかった（その恰好《かっこう》でニンジンジュースを一気のみするのは、なかなかの見ものだったけれど）。きみだって、ぼくの気にくわないところはいくらだってあったことだろう。

今思うと、どうしてもっとおたがいに嫌なところを見せておかなかったのか、後悔しているくらいだ。ぼくがよく思いだすのは、きみのいびきやタオルでなんとか隠された乳房の先や、ごくごくとジュースをのみくだす白いのどなのだから。

美丘、きみはどこか空のうえのほうで、ぼくを思いだすことはあるだろうか。そのときのぼくはどんな姿をしているかな。いつか、ぼくがそちらにいく日がきたら、おたがいの嫌なところをひとつひとつ全部あげて、笑い飛ばそう。

それから、こんなに早く逝ってしまったことをしかって、罰としてきみを抱くのだ。何度でも、ふたつの心が溶けあって、どんな病や運命もふたりを再び離せないように。


「太一、おまえ、チア部の岸本奈津美《きしもとなつみ》って知ってる?」

邦彦が声を抑えてそういった。ぼくはガラス張りのカフェテリアから、乾いた日ざしの落ちるキャンパスを眺めていた。気の早い枯葉が何枚か、サンドイッチのように遊歩道の隅に重なっている。カフェテリアのなかは学生たちの話し声がわんわんと響いていた。

「いや、知らない」

横から洋次が口をはさんできた。

「日焼けした元気のいい子でさ、いつも髪をツインテールにした昔のアイドルみたいな感じだよ」

「そうそう、絶対にこいつ処女じゃないのって感じ」

ぼくはその日のアルバイトのシフトを考えていた。遅番だと夜の十時まで、書店で本を並べ放題なのだ。疲れるけれど、悪くない仕事だ。

「それが、どうかしたの」

にやにやして、邦彦がいった。

「だからさ、これなんだって」

丸くふくらんだ腹を抱えるまねをした。それはナンパ師の邦彦をいっそう下品に見せる仕草だった。

「へえ、なんで知ってるの」

ぼくがきくと、洋次がこたえる。

「キャンパス中で噂になってるよ。どこかの男性誌の十五歳うえの編集者と結婚するんだって。大学は続けるみたいだけどね」

音を立てて、邦彦がぼくの肩をたたいた。

「だから、おれがいいたいのは、おまえも気をつけろってこと。太一はまだ結婚なんてしたくないだろ」

同棲を始めたばかりで、その先までは考えていなかった。けれど、婚約はしているのだ。大学を卒業したら、きっとその話もでてくることだろう。同世代の誰かが新しい一歩を踏みだすと、急に大人になることが現実味をおびてくるものだ。

ぼくが窓の外を眺めながらつぶやいた。洋次と邦彦が肩を並べて、こちらを見つめてくる。双子のように声がそろった。

「マジかよ」

アイスラテをのんで間をとった。もったいぶっていう。

「別に結婚しても、いいと思うけど」

邦彦は信じられないという顔をした。

「あの美丘と結婚か。おまえって、ほんと偉いな。麻理みたいな美人も振っちゃうし。どこかおかしいんじゃないか、頭とか目とか」

ぼくは笑ってしまった。確かに邦彦のいうとおりだ。美しさなら、きみは麻理にはかなわない。ここにいる男子ふたりは、きみの魂の強さや美しさは知らないのだ。それに、髪のなかを走る白い傷跡のことも。

「自分でもおかしいなって思うよ。ぼくは女の子には、そう熱くなるほうじゃなかったし。いっしょに暮らしているのも、不思議でしかたない」

洋次が声をひそめた。

「キャンパスでは秘密だろ。あまり口にしないほうがいいよ。でも、太一が結婚したら、ちょっとショックだなあ」

邦彦がカフェテリアの入口を見てにやりと笑った。

「ヒロインの登場だ。美丘はああいう服、どこで買うのかな」

ぼくはカウンターで順番を待つきみを見た。同棲を始めてから、ふたりとも洋服代を抑えている。パッチワークのサイケデリックな革ジャケットは、下北沢《しもきたざわ》の古着屋のセールで千九百円で手にいれたものだった。きみはトレイにアップルパイとミルクティをのせてやってきた。

「秋になったせいかな、このごろすごくお腹が空《す》くんだ」

邦彦は横目でぼくを見ていった。

「まさか、できてないよな」

テーブルにトレイを乱暴にのせて、きみはつつましい胸を張った。

「悪いけど、わたしゴム派なの」

椅子の背にジャケットをかけて、アップルパイにかぶりついた。

「やっぱり熱々のパイは手でたべないとね。で、なあにさっきから男だけで、こそこそと」

邦彦はあわてて手を振った。

「なんでもないって。それよりどう、ふたり暮らしは」

きみはいたずらっぽい目でぼくを見ていう。

「どうかな。ひとりよりずっと気をつかうことが多いみたい。おたがい苦労してるんじゃないかな」

洋次が不思議そうな顔をした。

「ほんとに？　ぼくなんかは、けっこううらやましかったんだけど。同棲なんてロマンチックでいいよね」

きみがじっとこちらを見ているので、代わりにぼくが返事をした。

「いや、実際にはそんなに悪くないよ。そうじゃなきゃ、結婚してるわけでもないし、とても続かないもの」

あたらずとはいえ遠からずのこたえをだした生徒にするように、きみはうなずいてアップルパイにもどった。

33

きみのアルバイトが終わるのは、夜十時半だった。ひと足早く本屋の仕事をすませ、表参道のガードレールに腰かけ、きみを待つ。ぼくたちの部屋までは歩いて十分ほど。手をつないで帰るのが、夏休みから習慣になっていたのだ。

九月もなかばをすぎると夜風がけっこう冷たかった。表参道のケヤキ並木も淡く黄色に色づいている。数すくない東京の星も夏より冴《さ》えて、空に散っていた。あの通りを歩く人はみなファッションが好きだから、すっかり本格的な秋の装いである。

「お待たせ、おみやげもらっちゃった」

きみは白いポリ袋をかかげて、小走りにやってくる。ぼくがぼんやりと考えていたのは、昼間の邦彦たちとの会話についてだった。

「見て見て、チキンソテーのローズマリー風味とラタトゥイユ。残りものだけど、これで明日の朝ごはんが浮いたよ」

ぼくたちの収入では、生活費はぎりぎりだった。

「それはよかった」

きみはぼくの顔を見あげていう。

「どうしたの、むずかしい顔しちゃって」

いおうかどうか迷っていたけれど、先に口のほうが動いてしまった。

「大学の女の子がひとり結婚するらしい」

「知ってる。チアの岸本でしょう。あの子、けっこうやり手だったから」

女の子同士で見る目と、男たちの見方はいつも微妙に異なっているものだ。きみは飛びつくように、ぼくの腕にぶらさがってきた。まもなく十一時になる。ぼくたちも地下鉄の駅にむかう人の流れにのって歩きだした。

「それで、いつかはぼくたちもそうなるのかなあと思って。ねえ、美丘はぼくと結婚したいのかな」

きみは急ブレーキを踏んだように立ちどまった。真剣な顔でぼくを見る。

「どうしてそんなことをいうの」

ぼくも足をとめて、きみのまえに立った。背後ではヒップホップを大音量で流しながら改造ワゴン車が参道を駆けていく。

「このままの形が続いたら、いつかはそういうことも考えなきゃいけなくなるだろう」

きみは怒ったような表情で吐き捨てるようにいった。

「わたしは結婚なんかしたくないよ」

ちょっと傷ついたが、冷静さを装った。

「それはぼくとは嫌だってことなのかな」

冷たい指先を伸ばして、きみはぼくの頬に手をあてた。

「違うよ。わたしは永遠なんて信じないってこと。太一くんのことは大好きだよ。でも、わたしには永遠に続くものはいらないの。それに……」

ぼくは両手で包むようにきみの手をとった。秋の夜風は乾いて、冷たくぼくたちのあいだを吹き抜けていく。

「それに、なあに」

　困った顔をして、きみは笑った。それはこちらが切なくなるような笑顔だ。

「わたしの病気のことがあるし、結婚しても長くは続かないかもしれない。わたしは思うんだけど……」

　本来情熱的ではないぼくがそのときにとった行動は、自分でも意外なものだった。ぼくは明るい表参道の遊歩道できみを抱き締めたのだ。きみはぼくの耳元でいった。

「わたしはなにも残さずに煙のように跡形もなく消えてしまいたい。わたしが生きていた跡なんて、この世界にはなにも残したくないんだ。だから、太一くんの戸籍にわたしのせいで、バツがひとつ残るなんて嫌だよ」

　きみはぼくの頬に軽いキスをして、明るく笑った。

「ねえ、わたしがいなくなったら、太一くんもどうせいつか誰かと結婚するんでしょう。だったら、きれいな身体と戸籍で送りだしてあげる。この女殺し、しあわせになれよ」

　きみはぼくを優しく突き放した。顔を見る。きみの目は真っ赤になっていた。勝ち気な顔がゆらゆらと揺れて崩れ、ぼくの頬をすべり落ちていく。ぼくはもう一度きみを抱き締めていた。

　その夜、ぼくたちは急いで部屋にもどった。

若さというのは不思議なもので、なにが起きてもストレートに欲望に結びついてしまうのだ。いい映画を観た。きみを抱きたくなる。いい音楽をきいた。やっぱり抱きたくなる。あの夜のように切なくてたまらないことがある。それでも、ぼくたちは抱きあいたくなったのだ。

同棲《どうせい》を始めてひと月もたつと、ああ今夜はなにも起こらない夜だなというのがわかるようになってくる。驚くべきことに、となりに眠っている人に欲望を刺激されない、穏やかな夜に慣れていくのだ。

けれど、その晩は違っていた。きみが永遠などほしくないといったからかもしれない。ぼくたちはおたがいの身体のなかに現在の光りを探そうとしたのだろう。真っ暗にした風《ふ》呂《ろ》場で、てのひらだけで相手の身体を洗い、泡にぬめる肌をできる限り密着させた。厚手のカーペットを敷いた室内、カーテンを閉めた窓辺、玄関と部屋を結ぶ細い廊下、マットレスをおいたロフト。ぼくたちはつながったり、離れたりしながら、狭い部屋のなかを移動した。

一回目が終わって、荒く息をつないでいると、きみは額に髪を張りつけて笑う。ぼくをさわっていった。

「ねえ、こんなのを出し入れするだけなのに、なぜ、果てがないのかなあ。わたし、色情狂になったんじゃないかって不安になることがある。アルバイトのあいだ、ずっと太一くんとHすることばかり考えたりさ。いったい、どうしてくれるの」

　汗だくの狭い額にキスをして、ぼくはいう。

「でも、結婚はしたくないんだろ。責任なんて、とれないね」

　きみはぼくに抱きついて、胸に顔を埋めた。最近の女の子のあいだでは、男子の乳首をなめるのは一般的な技巧なのだろうか。ひどくくすぐったい。きみは顔をあげていった。

「未来のことは責任なんかとらなくていいから、今、もう一回責任とってよ。もう火がついちゃってしょうがないんだから」

　ぼくたちはおたがいの責任をとるために、もう一度抱きあった。それは素晴らしいセックスだった。多くの人はセックスなんて退屈でつまらないと悪しざまにいうことがある。けれども、心と身体がそろって解放され、相手と溶けあうとき、それは真実素晴らしい経験になるのだ。

　嵐の夜の灯台のようなものだ。そういう一瞬を生きる支えにして、それからの時間をなんとかやりすごしていけるのだから。

34

もちろんぼくたちの毎日は、アルバイトとセックスだけではなかった。大学の講義には出席しなければならないし、レポートや試験のために勉強もしなければならない。きみにはあんなことをいっていたけれど、大学を卒業して一、二年もしたら、ぼくはきみに結婚を申しこむつもりだった。永遠などぼくだって、ほしくはない。でも、やはりきみをなんらかの形でつなぎとめておきたかったのだ。病気など関係なく、きみはどこに飛んでいくのかわからないところがあったから、それはなおさらだった。

そうなると就職は欠かせないことになる。それまでいい加減な学生だったぼくが、本腰をいれて勉強を始めたのは、きみとの同棲の成果だったのである。あの日は、九月の最終週の金曜日だった。時間もはっきりと覚えている。金曜日の午後で、四時限目の講義を待って、ぼくたちは大学の図書館で調べものをしていた。

ひどく風の冷たい日だったのを、ぼくは覚えている。空は不安を感じさせるほど抜け切った青さで、雲の影ひとつ地上には落ちていない完璧《かんぺき》な秋晴れだった。ぼくは周回遅れにされた会計学の基礎を猛然と勉強していて、きみはヘミングヴェイの評伝と解説書を探していた。英文学のクラスでは、初期の短篇ニック・アダムスものを一年かけて、読み解いているのだ。

「『心がふたつあるおおきな川』はいいね。どんな文章でも、一行くらいは削れるものだけど、あの短篇には単語ひとつも無駄がないから」

きみはしかめ面をして囁《ささや》いた。

「うわー、そのいいかた、うちの教授といっしょだ。なによ、太一くん、自分のほうがすこしくらい本を読んでるからって、偉そうに」

となりの机の女子学生が顔をあげて、こちらをにらみつけた。ぼくは小声で返事をする。

「別に偉そうになんかしてないよ。だいたい小説も読まないくせに、文学なんて専攻するほうが悪いんだ」

きみは皮肉そうに唇の端をゆがめた。

「じゃあ、金もうけになんて、これっぽっちも興味がないくせに、経済学部にはいった誰かさんはどうなのよ」

学部の選択は、うちの親との妥協の産物だった。そういわれると、返す言葉がない。

「わたし、思うんだけど、太一くんてもっと自分をおもてにだしたほうがいいんだよ。会計学なんてやめてさ、好きな勉強をしたら。もともと文科系なんだし。音楽だってパンクロックが大好きなんでしょう。髪だって真っ赤にして、カラコンいれて、ついでにタトゥもいれて、自分はみんなと違うんだって宣言すればいいじゃない。いつもきゅうくつそうなんだよね。すごくちっちゃな上着を着てる人みたい」

そんな勇気がないのは、自分ではわかっていた。ぼくはきっと自分にあわないジャケットを一生着こむことになるだろう。

「わかった、わかった。もういいから、参考書を探しにいってきな」

ぼくは自分のノートにもどった。小説を読むのなら、いくらでもいつまでもだいじょうぶなのに、すぐに頭が痛くなってくる。売掛金を細かな表のどこにおいたらいいのか、まるでわからないのだ。だいたい誰かがもうけた金を計算しているだけなんて、ぞっとするような学問である。

きみは開架式の書棚の波に消えていった。ショート丈のジャケットは、初めて屋上できみと会ったときに着ていたライダースだった。ブーツカットのジーンズの尻《しり》は少年のようにちいさい。でも、ぼくはそのやわらかさを知っているのだ。表面のすこしざらついた感触さえ、指の腹に生々しい。誰もが黙って勉強している図書館の学習室で、きみのうしろ姿を見送るのは、ひどく優越感をくすぐられる一瞬だった。

秋の図書館の静けさのなか、ぼくはもう一度数字の海に潜っていった。当座資産と棚卸し資産の相違はまるでわからないし、なぜひとつでいいはずの帳簿を二重にする必要があるのだろうか。ぼくは会計学にまったく共感を覚えなかった。

十五分ほどして、きみはもどってきた。胸にはハードカバーの洋書を数冊抱えている。書架の角を曲がって、ぼくの視線に気づくと、軽くうなずいてみせた。ぼくはきみが歩く姿に見とれていた。右脚のひざからしたが振りだされ、左足がやわらかに床を蹴《け》る。ベアリングでもはいっているように腰と股《こ》関節がなめらかに動いて、体重が移動していく。男性の細い腰にはない、左右の腰骨のローリングが、踊るようなリズムを生んでいる。学習室のなかほどまできたとき、きみの表情が変わった。

雲がでて急に日が隠れたように、顔色が暗くなったのだ。なにが起きたのだろうか。ブーツのつま先が震えている。細かな痙攣《けいれん》がつま先からひざまでのぼっていく。きみはなんとかまっすぐに歩こうとしたが、二、三歩すすむうちにひざから崩れるようにまえのめりに倒れた。

散らばった大判のハードカバーが派手な音を立てた。学生の多くは、自分の勉強に夢中で顔さえあげなかった。ぼくはいつのまにか立ちあがっていた。きみは冷たい大理石の床に手をついて、ぼくを見あげてくる。そのとき、ぼくたちふたりの心は最悪の形でつうじあっていたのだと思う。唇は動かなかったが、きみが考えていることはしっかりとわかったのだ。

(始まってしまった……)

ぼくも全身がしびれて身動きできずにいた。しばらくのあいだ視線だけで、うなずきあう時間が流れた。BSEのニュースフィルムを見たことがあるだろうか。柵《さく》のなかでなんとか牛が立ちあがろうとするのだが、つなぎ目がゆるんだように四肢はぐにゃぐにゃでいうことをきかない。自分自身の肉体の変調を恐れるあの必死の目。クロイツフェルト＝ヤコブ病の顕著な症状は、肉体的には歩行困難からあらわれることがある。

それはきみと暮らすまえから、ぼくが読みこんでいた医学書にあった一節だった。同じ本にはこう書かれていた。いったんヤコブ病が発症してしまえば、数ヵ月から長くても数年で患者は死に至る。これまでのところ、病状の回復・制御は不可能。治療法・治療薬ともになし。

自分の足に力がはいらなかったけれど、きみのところまでなんとか移動した。ぼくの全身が震えていた。きみの肩に手をおく。きみの身体も震えていた。恐怖に打たれて、きみはぼくの顔を見あげる。あのときの目の深さを、ぼくは忘れられない。

「太一くん、始まっちゃったよ」

涙が両目から同時にこぼれた。静かな学習室でぼくはひざまずき、きみの震える身体を抱き締めた。ほかの学生たちの無関心がありがたかった。ぼくたちは声を殺して泣いた。この身体が数ヵ月で熱を失い、息をしなくなる。きみがこの世界から消えてしまう。ぼくはひとりで、無情の世界に残される。そう思うと、もうたまらなかった。しばらく抱きあったまま、ぼくたちは泣いていた。誰にも助けは求められなかった。そんなことをしても無駄だと、心の底でわかっていたからだ。きみはぼくの背中をやさしくたたいていった。

「図書館で、とんだラブシーンをやったね。もう、いこう。悪いけど、講義は飛ばして、病院につきあってくれる？」

ぼくはなんとか立ちあがった。きみの足も先ほどの発作から、立ち直っているようだった。荷物をまとめ、図書館をでる。明るい秋のキャンパスを校門目ざして、なんとかぼくたちはすすんだ。おたがいにひとりでは歩けなかっただろう。それはひどいショックで病院にむかうタクシーのなかでも、ふたりとも全身の震えはとまらなかった。ぼくはきみよりもずっと衝撃に弱く、病院のトイレで昼食を吐いてしまうほどだった。

こうしてぼくたちの最後の秋が始まった。それはきみをきみたらしめていた精神が波にさらわれる砂のように、すこしずつ失われていく日々だった。最後の三ヵ月をぼくたちがどんなふうに生きたのか。美丘、ぼくにはあの時間をきちんと見つめることも語ることもできそうにない。きみが壊れていく過程は、ぼくが壊れていく過程だったからだ。

35

夜明けの星が消えていくように、ひとつずつきみの輝きが失われていく。あとに残るのは、一面フラットに明るい廃墟《はいきょ》だ。美丘、ぼくときみの十月は失われていくものをひとつずつかぞえる月だった。言葉が消えていく。思い出が消えていく。きみをきみらしくしていた機知と笑顔が失われていく。それどころか、ここがどこで、今がいつなのか、揺るぎないはずの時空の認識さえ、きみのなかで揺らいでいったのだ。

ぼくは全力できみをとりもどそうとしたが、それは空しい闘いだった。白く傷ついた頭のなかで起きている変化は、あまりに急速で容赦がなかった。それでもきみは素晴らしい勇気を見せた。恐怖に耐え、死よりも過酷な自分自身の喪失さえ、明るく笑い飛ばしてみせたのである。ときには落ちこんでいるぼくを励ますことさえあった。そんなに悲しい顔をされたら、最後の太一くんの思い出が泣き顔になっちゃうよ。わたしはだいじょうぶだから、元気をだして。

きみにそういわれたら、ぼくは泣きそうでも笑うしかなかった。心のなかで歯をくいしばり、涙をこらえて笑うのだ。きみが発症してからは、ずっと心がしびれたようだった。たべものは味も香りもなく、みな砂のようになった。自分の苦痛や悩みも他人事《ひとごと》のように遠くなった。なにをしているときでも、ヴァイオリンの一番細い弦を鳴らしているような高い音が耳につくのだ。きりきりと澄んだ悲しみの音。あれは日常生活のいそがしさに普段は隠されている命が擦り切れていく音なのかもしれない。

美丘、そちらでもあの音がきこえるだろうか。あるいは雲のうえのどこかでは、あんなに切ない音ではなく、天使の吹く角笛ののどかなメロディが鳴っているのだろうか。どちらにしても、きみが逝ってからのぼくに変わりはない。あの音は絶えずきこえている。すべての命から、今この瞬間を削りとり、死に近づける音。

世界に満ちているのは、命の火が燃やされる音だ。


きみが図書館で倒れ、ぼくたちはすぐにかかりつけの病院にいった。大学の講義を飛ばして、タクシーで移動したのである。そこは新宿にある大学病院で、見あげると先の見えない高層ビルだった。検査入院は二日ですんだけれど、ぼくたちにはもう結果がわかっていた。回復不能なヤコブ病の過程がついに始まってしまったのだ。

六人部屋の病室では話しにくくて、ぼくたちはエレベーターホールの横にある休息所にいることが多かった。あのときは秋の長雨。西新宿の副都心は低く垂れこめた雲にビルのうえ半分を溶けこませていた。窓のほうをむいてビニールのベンチに座り、ぼくたちはおたがいのあいだにぽつぽつと言葉をおいた。

「先生がいうには、身体の変調が起きるまえに、ほかの兆候もあったんじゃないかっていうんだけど」

きみはぼんやりと墨絵のようににじんだ雨雲を見ていた。開かない窓には雨粒の破線がななめに散っている。

「うん、あったのかもしれない。俳優とか作家の名前が思いだせなかったり、むずかしい言葉をちょっとずつ忘れてたりしてたから」

胸のなかでなにかが崩れた気分だった。ぼくはいっしょに暮らしているきみの変化をまるで感じとれなかったのだ。

「……そう」

「うん。そのたびに辞書ひいたり、ネットで検索してた。よくあることだし、なんだか変だなって思ったけど、自分でも認めるのが嫌だったのかもしれない」

「じゃあ、ずっとちょっとずつ思いだせなくなっていたんだ」

「でも、大事なことは覚えてるよ。太一くんと出会った日のこととかさ」

「屋上のフェンスを越えたときのこと？」

きみは笑顔でゆっくりとうなずく。

「あのときは、てっきり美丘が自殺するんだと思った」

「そこまでは考えてなかったな。別に落ちたら、そのときはそのときって感じだったけど。急にフェンスをのぼりたくなって大正解だった。おかげで、太一くんと知りあえたしさ」

ベンチの裏を、点滴スタンドを連れた入院患者がとおりすぎていった。きみは頭をぼくの肩にあずけた。このちいさな頭蓋骨《ずがいこつ》のなかで起きているほんのわずかな量のタンパク質の変化。それがきみを変えてしまうのだ。恐ろしさに身動きがとれなくなる。

面会時間が終了するまで、ぼくたちはただ灰色の空を眺めていた。

十日後に知らされた医師の診断については、簡単に述べておく。中年の医師は何枚かきみの脳の断層イメージを見せてくれた。すこし黒い部分が多いかなというくらいで、ぼくにはまったく普通に見えた。だが医師はいった。残念ながら、クロイツフェルト＝ヤコブ病、ＣＪＤの発症を確認した。現代の医療では、回復・治療の望みはない。いくつか記憶障害に効力のある薬があるので、試してみよう。けれど、薬も根本的にＣＪＤを治療するものではないので、あまり期待はしないでもらいたい。ぼくは医師の言葉はよく覚えていないのだけれど、きみがつぎにいったことは一字一句正確に覚えている。

「病気のことはわかりました。それで、わたしはあとどれくらいわたしらしく生きられるんですか」

メガネの奥の目が怯《ひる》んだのがわかった。抑えた声でいう。日本ではＣＪＤの患者はすくなく、発症後の生存期間は三ヵ月から二年くらいと幅がある。後期には動作不全や歩行困難などの運動失調と記憶や言語の障害などがあらわれる。通常、進行はきわめて早い。

そこにはきみのご両親もいた。誰もが黙ってしまった。ぼくの読んだ専門書では、ＣＪＤ患者の多くは発症から数ヵ月以内に死亡するとあったのだ。痴呆《ちほう》状態と運動失調は加速度的に進行し、最終段階では無動性無言になる。それはこれからきみが落ちていく暗闇に、頭のいい研究者たちがつけた恐ろしい名前だ。

病院をでて、ぼくたちは近くのファミリー・レストランにはいった。みんなのどが渇いていたし、休まずに家に帰れるほどの力は誰にも残っていなかった。ただひとり元気だったのは、もちろんきみだった。ホット・ファッジ・サンデーを注文して、チョコレートシロップがたっぷりとかかったアイスクリームを頬ばる。きみはさばさばといった。

「ただの復習だったね。全部わかってることばかり」

きみのお父さんは、ぼくの目を見て軽くうなずいた。

「これから、どうする？　なんだったら、家に帰ってきてもいいぞ」

きみはサンデーの山を崩しながらいった。

「お父さん、お母さん、ありがとう。こんな病気になって、心配かけてごめんね」

きみの言葉の途中で、お母さんがハンカチを目にあて、声を殺して泣きだした。

「でも、病気だからって、わたしは特別なことはなにもしたくないの。今までどおり太一くんと暮らして、ちゃんと大学にもいきたい。家にはもっとたくさん帰ることにするから。それに太一くん抜きで秋の家族旅行にもいこうよ」

きみのお父さんは涙目でうなずいていた。秋の旅行ならきっとだいじょうぶだろう。けれど、きみがつぎの新緑を見ることはきっとないのだ。そう思ったら、抑えていた涙腺《るいせん》が壊れてしまった。きみはぼくを見て、微笑んだ。

「ほら、わたしとずっといっしょだって、太一くんもうれし泣きしてるよ。まあ、わたしは魅力的だから、あたりまえだけどね」

36

その日は夕方、部屋にもどった。雨の暮れ方はいつ日が沈んだのかわからないうちに夜になっていた。ぼくはずっときみのそばにいた。手をつないだり、肩を寄せあったり、身体を抱いていたり、ふれていないときみがどこかにいきそうで不安だったのだ。

もう病気の話はしなかった。ただすぎていく時間を、きみと分けあっていただけだ。テレビもステレオもつけない静かな夜だった。ふたりともひどく疲れていたので、ロフトに敷いたマットレスに横になったのは、夜の十一時まえだったと思う。

ぼくは重苦しい夢を見た。焼け野原にひとりでいる夢。空はその日の昼と同じ厚い雨雲におおわれている。炭化した柱がところどころ残っている焼け跡に、ぼくはずぶ濡《ぬ》れで呆《ぼう》然《ぜん》と立っている。なぜかこの火事できみが死んでしまったことを知っている。足元のがれきのしたに、きみは埋まっているのだ。ぼくはよつんばいで泥と炭のなかに手をいれ、きみを探そうとする。

（……美丘……美丘）

汗だくで目を覚ました。あわててマットレスのとなりを手探りする。誰もいなかった。その代わり狭いワンルーム中に、なにかが焦げるにおいが満ちていた。ロフトで飛び起きて叫んだ。

「なにしてるんだ、こんな時間に」

枕もとの目覚まし時計は、午前三時半をさしている。はしごをおりて、ミニキッチンにむかった。きみはパジャマ代わりのスエットにエプロンを締めていた。シンクのまわりには、計量カップや包丁や調味料がでたらめに散らかっている。きみの目は涙ぐんでいた。

「目が冴《さ》えて眠れなかったから、太一くんが好きなシチューでもつくろうかと思って」

すがりつくような目でぼくを見る。深底の鍋《なべ》をのぞきこんだ。肉の焦げるにおいが鼻をつく。ガスの火を消した。

「今までに何十回もつくっているのに、途中でどうしたらいいのかわからなくなった。太一くん、わたし、シチューがつくれなくなったよ」

きみは真夜中のキッチンでがたがたと震えだした。自分の頭をこぶしでたたく。

「この頭が悪い、この頭が悪いんだ」

ぼくはきみに飛びついた。抱きあったまま、その場にしゃがみこむ。きみの身体から力が抜けるまで、じっとそのままでいた。きみは泣きながらいった。

「今日、病院にいく途中だってあぶなかった。太一くんといっしょじゃなかったら、道に迷っていたと思う。だって、新宿の街が見たことのない場所に見えたもの。昨日まで普通にできたことが、今日はできなくなる。こんな毎日は地獄だよ」

なにをいわれても、ぼくには返す言葉がなかった。ただきみにまわした腕に力をこめるだけだ。

「学校なんて、もう無理なんだ。英語だってぜんぜんわかんなくなっちゃった。わたし、この一週間で何度も同じ単語をひいたんだよ。パーサヴィアランス、あきらめずに最後までやり抜くことだって、笑っちゃうよ」

きみは泣きながら笑っていた。痙攣《けいれん》するように息を吸っていう。

「わたしがあきらめずに最後までできるのは、空っぽになって、身動きもできずにベッドで眠ることだけなんだ。それで、息をするのも忘れて死んじゃうんだ。どうしたらいいの、太一くん」

子猫が怒るようにふーふーと荒く口で息を吐いて、きみは泣いていた。そのままの恰好《かっこう》で、ぼくたちは時間がわからなくなるまで抱きあっていた。

「お手洗い」

きみがぼくの手をほどいて立ちあがったのは、夜明けのすこしまえだった。ぼくもしびれた脚を伸ばした。キッチンの残骸《ざんがい》を眺める。まだ缶のデミグラスソースをいれていないようだった。缶を開けてソースをつくりかけのシチューに足した。水洗の音がして、きみがもどってくる。ぼくはシチューをかきまぜながらいった。

「だいじょうぶ、まだ救出できるから」

だんだんと部屋のなかが明るくなる二十分間、ぼくはずっと鍋をかきまぜていた。きみもじっとぼくの手元を見ている。なんとか笑顔をつくって、ぼくはいった。

「たべる？」

「わたしは、いいや」

「じゃあ、ぼくが試してみる」

皿をだしてシチューをよそい、冷蔵庫から抜いたバゲットを切って、トースターにいれた。奥の部屋のテーブルに用意をすると、きみはぼくの正面に座った。心配そうに見つめている。

「見た目はぜんぜん悪くないなあ」

デミグラスのせいで、シチューは照りがでていた。これなら焦げたにおいだけがまんすれば、問題はなさそうだ。スプーンにすくって最初のひと口をたべてみる。においはそれほどではなかった。だが、舌がしびれるくらい塩辛い。

「どう、いけてる？」

すぐにパンをかじって、水をのんだ。

「うん、だいじょうぶ」

ぼくは汗をかきながら、牛肉とジャガイモとニンジンとカブを選んでたべた。なるべくシチューのソースがつかないようにしながら。のどはひりひりとしたけれど、ほとんど一皿分たいらげてしまった。きみはぼくの様子がおかしいと気づいたようだった。さっとさらうようにぼくのスプーンを奪った。

「待って、美丘」

きみはたっぷりとソースを口に運んだ。

「しょっぱい。こんなの無理してたべることないよ。わたしに、そんなに気をつかわないでよ」

スプーンを放りだして、きみはキッチンにむかった。シチューを鍋ごとシンクに投げ捨ててしまう。熱でゆがんだシンクがボコンと鈍い音を立てた。ぼくはきみの背中を抱いた。震えながら泣いているきみの耳元でいう。

「ぼくはきみの代わりになることはできない。きみの感じている怖さも憎しみも、全部はとてもわからない。でも、ぼくはきみのことが好きだ。きみがきみでなくなっていくとしても、ぼくはずっときみといっしょにいる」

きみはずっと黙っていた。永遠の半分がすぎて、ぽつりという。

「わたしが料理も、洗濯も、掃除もできなくなっても」

「うん、別に優秀な家政婦だから、きみが好きなわけじゃない」

「わたしが冗談もいえなくて、かわいくもなくなって、セックスもできなくなっても」

「そうなったらすごく残念だけど、やっぱりいっしょにいるよ」

「ベッドで横になって、息をしてるだけになっても」

「うん、いっしょにいる」

そのときぼくにはわかったのだ。愛情なんて、別にむずかしいことではまったくない。相手の最期まで、ただいっしょにいればそれでいい。それだけで、愛の最高の境地に達しているのだ。ぼくたちはそれに気づかないから、いつまでも自分が人を愛せる人間かどうか不安に感じるだけなのである。

きみはかすかに笑ったようだった。

「太一くんて、偉いね。わたしだったら、わたしのことを見捨てるだろうな。今はかわいい女の子なんて、たくさんいるから」

そうだろうか。かわいい女の子はそれほどたくさんいるだろうか。そのうちの何人ときみとできたように心と身体をかよいあわせることができるのだろう。

「ぼくはもの好きなんだ。塩辛いシチューもけっこうおいしかった」

「無理しちゃってさ」

つぎの瞬間、きみは振りむいて、ぼくにキスをした。おはようの軽いキスではなかった。舌をからめ、相手の口のなかを吸いだしてしまうような激しいキスだ。そのままぼくたちは朝の光りのなかセックスした。それはじりじりと焼きつくような行為だった。ぼくはなぜか火のついた導火線を想像した。きみが導火線そのものなのだ。身体の熱を燃やし尽くして、駆け抜ける時間をとめようとする。

ぼくはあのときほど快楽の深さを恐ろしく感じたことはない。

発症後のセックスについてきちんと語っておかなければ、きみはきっと意気地なしといってぼくを笑うだろう。だから、ここで正直に話しておこう。最初の一ヵ月間は、それは激しい日々だった。ぼくは記録をつけてはいなかったけれど、あのひと月ほど濃縮された数多くの性交渉をもったことはなかった。きっとこれからの人生でも、二度とないはずだ。

きみの欲望は底なしで、いつでもどんなときでも、ぼくを求めてきた。秋晴れの表参道を散歩しているとき。大学にむかう青山の裏町。渋谷の雑踏のなか。誰もが息をひそめている階段教室。映画館や図書館の隅。携帯電話の交換に立ち寄ったショップ。欲望は稲妻みたいで、きみの目に遠い光りが見えたら、すぐにふたりきりになれる場所に移動しなければならなかった。そうでなければ、ぼくたちふたりの熱と光りのせいで、周囲にいる人たちに甚大な被害がでることになる。

むずかしい英単語や手のこんだレシピを覚えてはいられなくなったのに、きみはぼくが弱い部分を忘れなかった。ぼくたちはよく笑ったものだ。この調子なら、どんな記憶障害が起きても、セックスだけはできるかもしれない。それだけでも、おおきな救いだと。

大学とベッドを往復する日がしばらく続いた。きみの表情は一時期より落ち着きをとりもどしたようだった。ぼくは放課後きみを誘った。

「ちょっとカフェにでもいかないか」

きみはうなずいた。それまでは学内で手をつなぐことなどなかったのに、発症してからはきみはいつも手をつなぎたがった。教室がわからなくなるのが恐ろしいのだという。

いつものオープンカフェにいった。表参道のケヤキ並木は半分ほど色づいていた。秋の初めの気温が高かったので、残りはまだ緑だ。ウエイターにカフェ・ラテをふたつ注文した。ぼくはきみからヤコブ病の告白を受けて、あれこれと読みこんだ認知症の対策を思い返していた。

「ねえ、美丘、脳の機能回復に一番いいのは、言葉を話したり、読んだり、書いたりすることなんだって。昔のことを思いだすのも『回想法』といってポピュラーな方法らしい」

きみは関心なさそうにいった。

「ふーん、たくさん言葉をつかうのがいいんだ。じゃあさ、いつもつまらないおしゃべりをしてればいいんだ」

「そうだよ、だからこれからはなにがあっても、たくさんしゃべっているようにしよう。それにできたらなにか文章を書くといい」

人間の脳には偉大な力があると大脳生理学者がどこかで書いていた。ある神経回路が失われても、残りの部分が失われた能力をカバーしようとして、新しい脳細胞のつながりを生みだすという。特効薬はなくても、すこしでもリハビリができないか、ぼくは考えていた。きみは届いたカフェ・ラテに山盛り三杯のグラニュー糖をいれて、勢いよくかきまぜた。きみはきみで糖質が脳には一番の栄養だとどこかで調べたようだった。

「わかった。わたし、これから一日一通太一くんに手紙を書くよ。あんまり書くことなんて、ないんだけどさ。もの忘れ対策だから、あまり中身は期待しないでね」

ぼくも空元気をだしていった。

「いいね。それでたくさん話をしよう。デートしたこととか」

きみはにやりと笑う。

「初めてのHとか。麻理さんにひっぱたかれたこととか。ロックフェスで泥だらけになったこととか。短かったけど思い出はたくさんあるもんね」

「うん」

もう終わってしまったことのような口ぶりが気になったけれど、ぼくは黙っていた。きみはじっと表参道の空をいく淡い秋の雲を見あげていた。

「じゃあさ、わたし、今夜から書くよ。ただし、太一くんは読んだらダメだよ」

「どうして？　読まれない手紙なんて意味がないじゃないか」

ぼくもまねをして試したからわかる。きみはべたべたに甘いラテをすすっていった。

「だから、わたしがいなくなったら、読んでよ。目のまえで読まれたりしたら、わたし恥ずかしくて早くぼけちゃうよ」

ぼくたちは声をあわせて笑った。お腹いっぱいすぎて、ぼけちゃう。Hしすぎて、ぼけちゃう。ときには眠すぎて、ぼけちゃう。それはきみとぼくのあいだでだけつうじる命がけの皮肉な冗談だ。きみはビル街の空のように澄んだ声でいった。

「ねえ、太一くん。わたしはこれから、どうなっていくのかなあ。わたしらしさって、なんなのかな。たくさんの思い出や、わたしがよくつかう言葉や、生活習慣だとか。そういうものがどんどん失われちゃったら、わたしはほんとうにわたしのままなのかな」

屋外用のテーブルのうえで、ぼくはきみの手をしっかりにぎった。それはその時点ではこたえのだせない疑問だった。きみの声が急に震えたのを、覚えているだろうか。

「わたしは、わたしでなくなるのが怖いよ。それで、もっと怖いのはわたしがすっかり変わって、太一くんから愛されなくなることなんだ。だって、わたしひとりだったら、とっくに自殺してるもん」

胸のなかをえぐられたようだった。そんなときでも、ぼくには月なみなことしかいえない。

「死ぬなんていったらダメだ」

きみはゆっくりと微笑んだ。

「わかってる。今は太一くんをおいては死ねないよ。だって、わたしがいなくなったら、どうなるか心配でたまらないもの。重症の患者にこんなにひどく依存してるんだからさ」

きみは表参道の坂道を転がっていく枯葉のような乾いた笑い声をあげた。

「いいかな。太一くんにひとつだけ覚えておいてもらいたいの」

ぼくは顔をあげて、きみの目を見た。

「それはね、わたしはあなたと会えてほんとうによかったと思っていること。今日、この瞬間だって、ここにいるすべての人たちのなかで、わたしが一番幸福だって思うよ。誰とくらべても、絶対にわたしが一番しあわせだって」

ぼくは都心の参道を見わたした。仕事やショッピングでいそがしげにいきかう人々。さすがにファッションの街で、みなおしゃれで姿勢がよかった。目にはいるだけで、そこには数千の人間が息をして、動きまわっていた。きみはちいさく両手を開いてみせる。

「わたしひとりだけが気づいているんだ。生きてることは奇跡で、永遠に続くものじゃない。ここにいるみんなだって、命には終わりがあるって頭ではわかってる。でも、心と身体の底から、命の素晴らしさや限界を感じているのは、わたしだけ。ねえ、太一くん、この世界ってきれいだね」

きみはぼくに手を伸ばした。目はガラス球のように澄んで、世界を曇りなく映している。指先でぼくの頰をなでて、きみは驚いたようにいった。

「知ってた？　太一くんもとてもきれいだよ」

ぼくはきみの手をとった。秋の日を浴びていても、指先はひんやりと冷たい。なにもいい返す言葉はなかった。ぼくのいる場所の遥《はる》か空の高みにきみは浮かんでいる。いつもぼくがつかっているような言葉では、きみに届くはずがなかったのだ。なにかいたずらを思いついた男の子のように、きみはさっと笑顔になる。

「ねえ、この世界が完璧《かんぺき》だっていう記念に、これから渋谷のラブホいってセックスしない？」

きみは成層圏の高みからようやくおりてきたようだった。ぼくは立ちあがり、伝票をとった。

「いいね。じゃあ、今日は奮発して地下鉄じゃなく、タクシーでいこう」

きみはショルダーバッグを肩にななめがけしていった。

「うーん、タクシーのなかでがまんできなくなったらどうしよう」

ぼくたちは笑いながらカフェをでた。そのときには気づいていなかったけれど、つぎの月にはきみが不思議に思っていた疑問にこたえがでることだろう。その人をその人らしくしていたさまざまな能力が消えてしまっても、果たして同じ人間のままなのか。あの解答不能に見える難問である。

けれど、今のぼくは知っている。能力や記憶や知性が失われてしまっても、その人らしい人柄は残る。それもますますつよく輝いて残ることになる。美丘、きみの裸の心はシチューがつくれなくても、たくさんの言葉を忘れてしまっても、あいかわらず素敵だった。それはとてもきみらしく、まっすぐだったのだ。

秋の終わりは、ぼくたちの終わりの始まりだった。ぼくは子どものようになったきみの魅力に驚きながら、ずっとそばで時間をかぞえることになる。終わりのときは近づいている。

37

心に浮かんだ言葉を文字にして書きつけていく。それは手と目と心の働きが連携した高度な仕事だ。そういうとき脳のなかでは、知性と感性が最高度のつながりをもって動いている。

ぼくたちは悲しいと書くと実際に悲しくなり、底抜けにたのしいと書くと、どこか弾むようにたのしくなる。秋の終わりの空と書けば、抜けるように澄んだ高い青空を思い、秋の日と書けば熱のない穏やかなオレンジ色の日ざしを想像する。

そうした喚起力のすべては、その人が生きてきた時間のなかでたくわえられた無数のイメージや記憶に支えられているのだ。手と目と心の関係がどこかで切れてしまえば、言葉を文字にして書きつけ、それで自分を表現することは絶望的に困難になってしまう。

空は意味をなくしてただの青い天井になり、日ざしは影のないフラットな照明になるだろう。風は冷たい空気の壁に、雨は不快に身体を刺す無数の冷点になる。その状態になったら、自然よりもイメージするのがもっと困難なものはどうなってしまうのだろうか。誰かを愛した記憶や家族や友人との関係はどんなふうに変化していくのだろう。

ぼくときみは続く十一月に、その難問にふたりでこたえることになった。人の心とそれが壊れていく不思議を、恐怖にしびれながら体験したのである。きみは渦中の人として、ぼくはいつもそばにいる静かな観察者として。

日常生活であたりまえにできていたことが、できなくなっていく。けれどときどきふさぎこむことがあっても、きみという人柄には驚異的に変化がなかった。文字を書くことさえ困難なのに、複雑な気もちを伝える会話は、ゆっくりとだがちゃんと成立するのだ。

きみはあきれるほど強くてタフだった。決して泣き言はいわなかった。だからぼくもきみと最後に暮らした日々を明るく語ろうと思う。

穏やかな暮れの秋。それはきみとぼくがいっしょにすごした最後の季節だ。

普通ならなんでもない書くという行為が、どれほどの力を必要とするか。ぼくはきみを見ていて痛感することになった。白い便箋《びんせん》をまえにして、きみはぼんやりと長時間なにもせずにいることが多くなった。毎日一通ずつぼくに手紙を書くといった日から、最初の十日間ほどはまだよかった。自分が生きているうちは絶対に見てはいけないという秘密の手紙がすこしずつ増えていったのだ。

けれど、そんな日々にも終わりがやってきた。考えてみると、あのころはなにかをひとつずつあきらめるように、ぼくたちは暮らしていた。あの日、大学のカフェテリアで待ちあわせをしたときもそうだった。きみはぼくの講義が終わるのを九十分間待っていた。そのあいだに一通書くという。授業を終えたぼくは教室を飛びだし、きみのいるカフェテリアにむかった。窓際のテーブルに、テキストの山をおいていう。

「お待たせ。今日の手紙は書けたの」

きみはとまどった顔で、ぼくを見あげてきた。白いニットキャップがよく似あっている。

「もう文字を書くのは、むずかしくなったみたい」

話すスピードも以前よりずっと落ちている。ゆっくりとつぎの言葉を待ち、きみの声に耳をかたむけるのが、ぼくの新しい習慣になっていた。盗み見るようにきみのまえに広げられた便箋に目を走らせた。紙は真っ白なままだ。

「文字をどんどん忘れていく。もう十画以上のむずかしい漢字は書けないよ」

きみは力なく笑ってそういった。

「うん」

足から力が抜けてしまうようだった。ぼくは椅子に座りこんだ。

「無理することないよ……でも、いつから」

「もう一週間になるかな」

毎日いっしょに通学していたのに、そんなことさえ気づかなかったのだ。

「あとで買いものにつきあって」

ヤコブ病が発症してから、きみがなにかをほしがるなんて、ほとんど初めてのことだった。

「いいよ、それよりつぎの講義が始まる」

四時限目は誰でも出席するだけで単位が取れる名誉教授の記念講義だった。ぼくたちだけでなく、うちのグループのメンバーもひとり残らず集まるのだ。簡単なレポートの提出だけでほぼ間違いなく優がもらえる狙い目の時間だった。

「さあ、いこう」

ゆっくりと、けれど必死にテーブルのうえを片づけるきみを見つめていた。ぼくたちはいつも無意味に急いでいる。きみの動きから気づくことが多くあるのだった。

階段教室は八割がた埋まっていた。ぎりぎりで走りこんだぼくたちは、まえから三列目に席を確保することになった。そのあたりは麻理や直美のようにきちんとノートを取る優等生か、邦彦や洋次のように遅刻寸前の学生、二種類の対照的なタイプが集合するところだ。

「遅いじゃん。最近見なかったな」

自分のとなりの空席を示して、邦彦が囁《ささや》いた。ぼくはきみをいつものメンバーに会わせたくなかった。

「悪いな」

しかたなくぼくときみは並んで、そこにすべりこんだ。初老の品のいい教授の講義が始まった。

「前回はフロイトについて話しましたが、今日は一九〇〇年代初期にフロイトの仲間だったオーストリアの心理学者、アルフレッド・アドラーについて勉強しましょう」

テキストとノートを開いた。A・アドラーと書く。きみのほうを見た。きみのまえには開かれた白いノートがあるだけだ。教授はスイッチのはいった機械のように話し続ける。

「フロイトは理性と感情、意識と無意識の対立を提唱しましたが、アドラーは人間は分割できない全体であると考えました。トラウマというと、みなさんもよくテレビドラマなどでご存じでしょう。幼児期など過去に起きた深い心的外傷ですね。フロイトはトラウマを重視しますが、アドラー心理学においてはトラウマの影響は限定的です。ある人の人格を決定するのは、過去よりもその人の希望や将来の目標であると考えたのです。人格を決めるのは、過去ではなく未来だと」

一見希望にあふれているようにきこえるが、それは厳しい言葉だった。では未来が閉ざされていくきみには、なにが残るのだろうか。未来や希望がなければ、その人はその人らしく生きることはできないのか。ぼくは冷水をかけられたような気もちで、きみに目をやった。

きみはまっすぐに正面をむき、真剣な顔で講義をきいていた。ただの真剣さとだけいったのでは、そのときの空気が伝わらないかもしれない。多くの学生が楽に単位が取れるからと選んだ大教室のなかで、きみはひとりだけ命がけで真剣だったのだ。きみは鉛筆を手に取った。真っ白なノートの中央におおきく書く。

みらい　きぼう　じんかく

子どもの書いたようなへたなひらがなだった。けれどもその文字を見ているだけで、ぼくの目には涙があふれてきた。ちいさな声でいった。

「講義をきくのが嫌なら、いっしょに教室をでるよ」

きみはゆっくりと首を横に振った。

「優はもういらないけど、ちゃんとききたい」

だいじょうぶというように、軽く笑ってうなずいてみせる。きみに勇気づけられ、なんとかまえをむいて歩けると思えるのは、こうした瞬間だった。ぼくは教授のほうに視線をもどし、きみに負けない真剣さでノートを取り始めた。

38

講義が終わると、ぼくはすぐに立ちあがろうとした。きみが発症してからは、ぼくたちは以前のグループを避けるようにしていたのだ。洋次や邦彦からよくメールがはいったけれど、アルバイトとふたりきりの暮らしでいそがしいといって誘いを断っていた。

そのときもぼくは友人を避けようとした。きみはノートを見つめて、微笑んでいた。みらい、きぼう……。それは本来なら恐ろしい言葉のはずだった。

「さあ、いこう」

きみをうながして、先に教室をでようとする。きみは首を横に振った。

「久しぶりに、みんなといっしょにいたい」

邦彦がきみの様子など気にかけずに、陽気に声をかけてきた。

「美丘、おまえなんか話し方が変だけど、お茶でもするか」

育ちのいい洋次がぼくを気づかってくれた。

「バイトはだいじょうぶなの？　なんだか、太一は顔色が悪いみたいだけど」

きみはじっとぼくを見ていた。力強くうなずいていった。

「わたしはだいじょうぶ。どうせなら、表参道のカフェにいこうよ。麻理さんや直美ちゃんも誘って」

「そうこなくっちゃ。同棲《どうせい》生活のエピソードでもきかせてくれよ。できれば、ちょっとエロいやつな。おーい、麻理、直美、お茶しにいこうぜ」

邦彦は手を振って数段うえの席に座っていたふたりに声をかけた。


秋の終わりの夕暮れだった。表参道の空はすっかり夜の色で、渋谷のほうのビルのうえにだけかすかに夕焼けの色が澄んで残っていた。ぼくたちはぶらぶらと校門をでて、この夏にはよく足を運んだオープンカフェにむかった。

半袖《はんそで》のTシャツを着て、未来は無限に開けていると無邪気に思っていたあの季節から、まだほんの四カ月しかたっていないのだ。ぼくたちはふたつのテーブルをつなげて席を取った。またも外国人や美男美女が並んだ通り側の最前列ではなく、二番目の列だった。女性陣三人は風が冷たかったのだろう。店からブランケットを借りて、ひざにのせていた。

直美がうれしそうにいった。

「なんだか六人全員がそろうなんて、ずいぶん久しぶりの感じがする。やっぱりみんながいるといいね」

うちのグループの氷の王女、麻理が手袋をしたままホットココアのカップをもちあげた。きみのほうを横目で見て、厳しい顔になった。

「急に太一くんといっしょに暮らすなんていうし、最近ぜんぜん話もきかなかったから、心配してたんだ。美丘さんはうちのグループから離れたいのかなって」

邦彦はボマージャケットのポケットに両手を突っこんでいった。

「まあ、いいじゃん。こうしてもどってきたんだからさ。でも、おまえたち、ここんとこなにしてたんだよ。部屋にこもってHばっかりしてたんじゃないよな」

直美が口をとがらせた。

「すぐにそっちのネタにいくのやめてくれない」

いつものかけあいマンザイが始まったようだった。いい調子だ、このまま適当に話をあわせて、早く帰ろう。ぼくはきみの身体のことが心配だった。きみは紺のダッフルコートのトグルを首までとめ、白いマフラーを首に巻いていた。そろいの白いキャップもかぶっているから、ひどく幼く無垢《むく》に見えた。奇妙に落ち着いた視線でぼくを見てから、きみはいきなりいった。

「わたし、最近、ずっと病院にいってた」

ゆっくりと全員の顔を見つめていく。全身から力が漏れだしていくようだ。邦彦がふざけていった。

「なんだよ、それ。悪い冗談か。それにその話し方。急にのんびりしちゃって」

きみは辛抱強く笑っていた。

「冗談じゃないの。わたしはクロイツフェルト＝ヤコブ病なんだ。見て」

ぼくが息をのんでいると、きみはニットキャップを頭から取った。おじぎをするように、オープンカフェのテーブルに頭をさげてみせる。頭頂部の髪をかき分けた。そこに残っているのは、乾いた白い傷跡だった。

「幼稚園のころ、交通事故にあってね。頭蓋骨《ずがいこつ》を骨折したの。そのとき外国から輸入した硬膜を移植した。それでヤコブ病に感染してしまった」

邦彦が悲鳴のような声をあげた。

「なんだよ、それ。どんな病気なんだよ」

麻理はしびれたように、キャップをかぶり直したきみを見ていた。

「わたし、ニュースフィルムで見たことがある。ヤコブ病って、ＢＳＥと同じだったよね」

直美が顔を青くした。

「じゃあ、脳がスポンジみたいになっちゃうの」

その場にいた全員の頭のなかに、ぶるぶると脚を震わせるBSEに感染した子牛のイメージが浮かんでいるのが、ぼくにはわかった。テーブルをひっくり返して、きみを連れてもどりたかった。だが、きみはそこでぼくにはとてもおよばない強さを見せた。

「うん、わたしの脳はだんだん空っぽになっていくみたい。みんなと会わなかったのは、昔できたことがどんどんできなくなっていくところを見られたくなかったからなんだ。わたし、もうシチューがつくれなくなった。新しいお店の場所も覚えられなくなった。むずかしい漢字は書けないし、好きだった歌手や俳優の名前も思いだせないんだ。ずっと潜伏期間だったけど、すこしまえに発症しちゃったんだ」

真冬を思わせる風が、夜の表参道を駆けあがってくる。洋次が自分のつま先に視線を落としたままいった。

「でも、それは……なんていったらいいのかな……致命的じゃないんだよね」

きみはゆっくりと首を横に振った。じっと洋次の目を見ていう。

「ううん、そうなの。手術もできないし、薬もないし、治療方法はないの。ただゆっくりと頭のなかが空っぽになっていくだけ。わたしはそれでおしまい」

泣き虫の直美がハンカチーフを目にあてた。泣き声でいう。

「なんで、美丘さんがそんな病気になるの。手術したのは、命を助けるためだよね。それなのにそんな悪い病気が移るようなものを子どもの頭に移すなんて、わたし信じられないよ」

邦彦がなにかに猛烈に怒っているようだった。ひざを震わせながらいう。

「なんで、美丘はそんなに冷静なんだよ。おまえにそんなひどいことをしたやつは、どこにいるんだ。絶対に許せない」

洋次もあいだをおかずに続けた。

「ぼくも許せない。だけど、まだ何年も何十年も先なんだよね。その、おしまいになるのはさ」

きみは誰かがなにかをいうたびに、その人間をしっかりと見つめた。先に目をそらしたのは洋次のほうだった。

「この病気に感染した人は数がすくないから、正確なことはわからないの。でも、発症して三ヵ月から数年後には、脳から身体を動かす力はなくなってしまう。頭からの信号がこなくなったら、息をすることも、ごはんをたべることもできなくなるんだ」

邦彦がパニックを起こしたようだった。立ちあがりそうな勢いで叫んだ。

「なんだよ、それ。美丘が死ぬはずなんてないだろ。こんなに元気なのに。なんでそうなるんだよ。太一、おまえ、全部知ってたのか。なんか、いえよ」

心のどこかが破れてしまったようだった。ぼくは自分の声を他人のように冷静にきいていた。

「発症してからずっと、美丘とふたりで怖くて震えていた。誰かを呪ったこともある。怒りにまかせたこともある。ぼくもいっしょに死にたいといったこともある。でも、彼女が許してくれなかった。ずっと最期まで自分を見ていてほしい。自分が生きていたという証人になってほしいって。ぼくは約束した」

誰もなにもいわなかった。きみがひとりだけ強靭《きょうじん》に微笑んだままだ。しばらくして、黙っていた麻理が口を開いた。きみのほうに身体をむけて、きみと同じようにゆっくりと話し始めた。

「美丘さん、あなたはわたしたちにどうしてほしいの。わたしたちにできることはなんなの。なんでもいってみて。できることなら、なんでもするから」

ぼくは麻理の賢さと強さを見直した。伊達《だて》に王女と呼ばれているわけではないのだ。きみは麻理のほうに手を伸ばした。麻理は手袋を脱いで、きみの手をとった。きみの口から言葉はゆっくりと流れだした。

「お願い、きちんとわたしの目を見て、ゆっくりと話して。それだけでずいぶん違うんだ。わたし、むずかしい言葉や早口だとわからないことがある。でも、しっかりと目を見てくれたら、わたしのことを怒っていないってわかるから。わたしはたくさんできないことがふえたけど、わたしがわたしであることは、まえとぜんぜん変わらないんだ。手助けをしてくれるのはうれしいけど、わたしがお願いするまでは手をださなくていいよ。今までと同じでいいの。ただすこしだけ辛抱強くなって、スローになったわたしを見ていてほしい。わたしはもう一度にひとつのことしかできないの。みんなななら鼻歌をうたいながらこなせるようなことでも、真剣に全力でやらなくちゃいけないんだ」

麻理の心はすこしも氷なんかではなかった。じっときみの目を見ながら、ぼろぼろと涙を落としたのだ。きみはぼくのほうをむいていった。

「わたし、今日の講義をきいていて思ったことがある。わたしには卒業後の未来なんてないかもしれない。でも、明日はまだなんとかあるんだなって。文字を書くことも、なにかを覚えることも、思いだすこともむずかしくなった。だけど、まだわたしが残っている。本来なら必要なかったものが、これからはどんどん削られていく。でも、最後に裸になったわたしが残るはずだよね。そのときのわたしは、どんな人なんだろう」

きみはぼくをじっと見つめていた。なぜ人の目はこれほどちいさいのに、こんな深さがあるのだろう。

ぼくはただうなずき返すだけだった。きみがノートに書いていた文字を鮮やかに思いだした。みらい　きぼう　じんかく。

「さっきいっていたよね。その人らしさをつくるのは、過去の傷じゃなくて、未来への希望だって。わたしはどんどん壊れていく。でも、同時に新しく生まれてもいる。最後に残るわたしらしさをつくってみたい。最後にどんな自分と会えるか確かめてみたい。みんなに手伝ってもらいたいのは、それだけなんだ。わたしがわたしらしくなるために、みんなの力を貸してください。お願いします」

きみはそういうと再びニットキャップを脱いで頭をさげた。髪のあいだに白い道が見える。それは光り輝いているようだった。麻理と直美は隠すことなく泣いていた。洋次と邦彦は目元を手で隠していた。ぼくは何度も指先で涙をぬぐいながら、なんとかきみを見つめ続けた。

「それがわたしの最後のお願い。明日からも、よろしくね」

麻理がいう。

「ねえ、みんな、手をつなごうよ。ここにいるメンバーが美丘さんを守るためのチームになるの。いいかな」

それはなんだかおかしな光景だった。オープンカフェの暗い片隅で泣きべそをかいた大学生が六人もテーブルにむかったまま、手をつなぎ輪になっていたのだ。きみはその夕方、初めての涙をこぼした。

「なんだか、わたしが主役で悪いみたい」

邦彦が泣き笑いの顔でいった。

「ほんとだよな。こういうときは一番の美人がヒロインになるもんだ。美丘はやることがめちゃくちゃだからな」

きみはにやりと昔のような笑顔を見せた。

「へへ、邦彦は泣き虫のくせによくいうよ」

そこでぼくたちは笑った。おたがいの泣き腫《は》らした顔を指さし、おおきな声で笑ったのだ。何度か手を離したけれど、結局オープンカフェをでるまでずっと六人で手をつないでいた。そんなことをしたのは、幼稚園の園庭以来久しぶりのことだった。

あれほど友人たちと心がひとつだと感じたのは初めてかもしれない。美丘、それもきみが残してくれた思い出のひとつだ。

39

その夜は東京メトロの表参道駅でみんなと別れた。まだ時刻は夜の七時すぎだった。ぼくと腕を組んだきみは明るくいった。

「泣いたらなんだかお腹が空《す》いた。なにか夕ごはんたべて、それから買いものにいこう」

すっかり忘れていたが、きみからショッピングにつきあうようにいわれていたのだ。

「わかった。なにがたべたい」

　ぼくはじっときみの目を見た。きみはぷいっと目をそらしていった。

「それぐらいのことをきくだけなら、そんなに真剣に目を見なくてもいいよ。太一くんのことはだいたいわかるから」

　きみが麻理にいった言葉をぼくは鵜《う》のみにしていたのだ。にこりと笑って、きみはいう。

「渋谷にでて、博多《はかた》ラーメンと高菜チャーハンたべたいな。餃子《ぎょうざ》は半分ずつ。今夜は太一くんにおごらせてあげるよ。バイト代はいったんでしょ」

　はいはいといって、ぼくたちはメトロにおりるエスカレーターにむかった。きみはちらりとチケットの自動販売機のほうをむいた。頭上にかかる路線図を見ていう。

「もうあの地図から駅を探して、切符買うのはむずかしいかもしれない。こういう便利なものがあって、よかった」

　ポケットからカードを抜いて、ぼくたちは自動改札を通過した。きみはぼくの腕にぶらさがるように歩きながらいった。

「あのね、今日わたしが買おうと思っているのは、ｉＰｏｄなんだ。一番容量がおおきなやつ」

　半蔵門《はんぞうもん》線のホームにジュラルミンの車体が走りこんできた。風に負けないようにぼくはいった。

「どうして。なにか、ききたい音楽でもあるの」

ぼくは最近読んだ脳の老化を防ぐ方法の本を思いだしていた。モーツァルトの長調の快活な音楽には脳の機能低下を抑える効果があると書かれていたはずだ。

「ううん、音楽じゃないの。わたしは手紙が書けなくなった。でも、まだ話すことはできる。だからたくさん話をして、それを録音しておこうと思って」

地下鉄の車両にのりこんだ。夜の七時はラッシュアワーに近い混雑だった。ぼくはきみの言葉に胸をつかれた。抱きあうような恰好《かっこう》で、ぼくたちはドアに押しつけられた。うわ目づかいにきみはいった。

「きっとうんざりすると思うよ。何時間も、何十時間も、わたしの声が録音されてるんだからさ。いつまでもわたしの声を忘れられないようにしてあげる」

満員の電車のなか、ぼくはきみの身体を抱き締めた。

「ちょっと、なにするの」

きみはあわてていたが、ぼくは腕をゆるめなかった。

「何十時間でも、何百時間でもいいよ。一生分の言葉を残してくれ。さっきのカフェの台詞《せりふ》だって、録音してくれればよかったのに。あれには、泣かされた」

「あれくらいなら、もう一度やってあげる」

きみは子猫のようにキャップの額をぼくの胸に押しつけた。渋谷にむかう電車は、ぼくたちを快適に揺らしてくれた。そのまま夜のあいだじゅう走り続けてくれればいいのにと、ぼくは考えていた。そうすればずっときみを抱き、守っていられるのだ。

けれどもどんな列車にも、終点がやってくる。すこしばかりスローになったとはいえ、あれほど元気で、明るかったきみが、今年のクリスマスを越えられなかったのだ。真っ暗なトンネルのなかを駆ける車両のなかで、ぼくたちはすぐ先に待つ完全な暗闇にまったく気づかずにいた。

40

嵐の空を見たことがあるだろうか。

まだらに千切れ雲を浮かべた嵐の終わりの空だ。雲のした側は墨を流したように黒く、日ざしを浴びたうえ半分は白く輝いている。雲の切れ間からはナイフのように鋭い光りがこぼれ、まだ濡《ぬ》れている街をまばゆく包んでいく。十二月のきみは、あの嵐が消えていく空のようだった。

ほとんどは不機嫌で、憂鬱《ゆううつ》に黒く沈んでいた。失われた能力と記憶がくやしくてならず、すぐ目のまえに待っている暗闇が恐ろしくてたまらなかったのだ。きみは何度もぼくを傷つけようとした。そうすれば、ぼくがきみから離れていくと考えたのだ。これ以上、損なわれていく自分を見られたくなかったのだろう。

けれどもごく短い時間だが、きみの目が昔の輝きをとりもどすこともあった。嵐の雲が割れて、ひとときの光りがさしたのである。身体は不自由でも意識ははっきりとして、頭の回転だって以前とそれほど見劣りしない。そんなとき、ぼくたちは必死で話した。たくさんの思い出、現在の気もち、これから先に望むこと。

だが、日のあたる時間は長くは続かなかった。数時間きみが昔のように笑って話せるときもあったけれど、多くは数十分から数分で、きみは暗闇のなかにもどってしまうのだった。明るく光っていた瞳《ひとみ》から光りが失われ、泥のように濁っていく。目のまえできみがいなくなるのを見るのは、ひどくこたえる経験だった。きみがいなくなってしまったあとで、ぼくが狭い風呂《ふろ》場にこもっていたのは、当然の理由があるのだ。

美丘、ぼくが最期にきみにしたことに関して、ぼくは今もまったく後悔はしていない。また同じ状況になれば、きっと同じように苦しんで同じ選択をしたと思う。ただ最期のときに、きみの意思をきちんと言葉で確認できなかったこと。それだけが心残りだ。

これできみの話をするのは最後になる。でも、ぼくはきみのことを忘れないし、この物語を読んだ人も誰ひとり、峰岸美丘というちょっと変わった女の子のことを忘れないだろう。春の嵐や夏の稲妻のように短い生涯を駆け抜けたきみのことをきっと記憶にとどめてくれるだろう。

そうなのだ、きみはすごく気まぐれで激しかった。ぼくはきみによって深いところで自分を変えられたし、目を開かされた。

わかるだろうか。ぼくは今も目覚めたまま、きみの夢を見ている。


十二月にはいって、きみは歩行が困難になった。言葉を話すのはひどくゆっくりで、複雑だったり抽象的な思考を伝えるのは絶望的にむずかしくなった。買いものの代金の計算や手のこんだ料理のレシピ、専攻していた英文学については、完全にきみの脳のなかからは失われてしまったようだった。

ぼくはきみの両親と相談して、介護用のベッドを狭いワンルームにレンタルすることにした。マットレスの敷いてあるロフトにあがるのはむずかしくなっていたのだ。ぼくが大学にいくときには、きみのお母さんかお姉さんがきて、代わりにきみの世話をしてくれた。しばらくまえにアルバイトのほうは辞めている。残りすくないきみとの時間を失いたくなかったのだ。出欠を取らない講義にでかけるひまも、ぼくにはなかった。自由にできる限りの時間を、きみのそばですごしたかったのだ。

あれは今年最初の寒波がきた月曜日だった。きみの声はひどく弱々しく、ぼくたちの白い部屋のなか、時間の流れ自体が遅くなったようだった。

上半身を起こした介護ベッドのうえ、きみは身体をひねった。ベッド横の椅子からぼくは立ちあがった。

「わたし、お手、洗い」

「待って」

人間ひとりの体重は、きみのように小柄でもかなりの重さだった。腰を痛めるまではいかないけれど、ひどい筋肉痛になったことがあり、ぼくは介護の本でベッドに横になった人の抱き起こしかたを学んでいた。しっかりと抱きつき、両手を腰のうしろで結んで、身体を密着させたまま転がるように起きあがるのだ。

「ご、めん、ね」

きみは腹から漏れる息で謝った。ふたりで並んでベッドに横座りしたまま、ぼくは明るくいう。

「だいじょうぶ。美丘くらい、軽いかるい」

そのころぼくの話すスピードは、きみと同じくらいゆっくりになっていた。きみは言葉の意味がわからないときには、ぼくの表情を読んでいるので、厳しい顔も悲しい顔もできなかった。きみの左足はほとんど動かなくなっていた。右側の脇のしたに身体をいれて、いっしょに起きようとする。いつもなら、それで立ちあがれるのだ。腰をいれて二度、三度とやってみたけれど、うまくいかなかった。きみは動くはずだった右足をたたいて叫んだ。

「太一くん、わたし、最後の、足、ダメに、なった」

すぐそばにきみの絶望的な顔がある。目は底なしに深く、表面だけが涙で濡れていた。しびれるような恐怖が濡れた瞳のすぐした側で泳いでいるのが見えた。抱き締めていう。

「だいじょうぶ、だいじょうぶ」

最後の一ヵ月間、何度この言葉をぼくは繰り返しただろうか。きみより先にぼくがつらくなるわけにはいかないのだった。泣いているきみの頭をなでた。しばらくして落ち着くと、ベッドのまえにひざまずいた。

「おんぶしてあげる」

両足に力のはいらないきみは、倒れるようにぼくの背にしがみついてきた。太ももを震わせて立ちあがり、手洗いまで移動する。きみの涙がぼくの首筋を濡らした。便座に座らせると、ぼくは外にでて扉を閉めた。淋《さび》しい水音がしてから、水洗の滝が流れた。きみの声が薄い壁越しにきこえた。

「わたし、足も、ダメに、なった。いつか、おしっこ、しても、自分で、ふくことも、できなく、なるね」

ぼくはゆっくりとほがらかにいう。

「だいじょうぶ。そうしたら、ぼくがふいてあげる」

「ありがとうね、でも、もうダメ。病院にいく」

きみが入院をいいだしたのは、それが初めてだった。一度入院したら、二度と外の世界にもどってこられない。きみは病院を嫌っていたのだ。

「でも、まだまだ、ぼくたちはがんばれる。お母さんやお姉さんもいるし」

静かに泣き声がきこえてきた。

「もう、無理だよ。今は、いいけど、わたし、ときどき、記憶が、飛んでるとき、ある。なにをして、なにをいったか、ぜんぜん、覚えてないんだ。太一くんや、お母さんに、ひどいことして、ないか、怖くてたまらない」

何度も鼻をすすりながら、きみはいう。ぼくはなにもこたえられなかった。

「今でも、必死で、抑えてる。わたしだけが、こんなに、なって、みんな、元気で、憎らしくて、たまらないよ。太一くんに、最後に、鬼になった、わたし、見せたくないよ」

目が熱くなった。涙がフローリングの床に落ちる。それでも声には絶対に泣いている雰囲気などださないようにする。

「いいよ、鬼になっても、美丘みたいなかわいい鬼なら、大歓迎だ。もっとぼくのそばにいなよ。夜も朝もいっしょのほうが、ずっといいから」

だが、きみはやはり峰岸美丘だった。一度いいだしたら、絶対に人のいうことなどきかないのだ。

「ダメ。ここから、でて、太一くんの、顔、見たら、病院いけなくなる。すぐに、お母さんに、電話して。なるべく早く、入院するから」

胸の底が裂けて、中身がすべて流れだしてしまいそうだった。けれども怒ることも叫ぶこともできなかった。きみはぼくの何千倍も悲しいに決まっているのだ。

「絶対に、そうし、なければ、ダメ」

きみはゆっくりと正確にいう。それがかなりの努力を必要とするのは、そばにいたぼくにはよくわかっていた。

「お願い、太一くん。わたし、気が、変わらない、うちに、早く」

ぼくはてのひらをかんで、泣き声が漏れるのをとめた。口のなかに血の味がして、すこしだけ冷静になる。また明るい声をだした。

「わかった。美丘がいうことなら、なんでもしてあげる。でも、絶対毎日病院にいくから。嫌がっても、美丘のお手洗いにつきあうから」

きみはすこしだけ笑って、トイレのなかからいった。

「だいじょうぶ、だいじょうぶ」

41

入院したのは、西新宿にある大学病院だった。周囲の超高層ビルに負けないくらい背の高い建物で、病院というよりは立派なホテルのようだった。窓の外には空に浮かぶ城を思わせる都庁と、副都心の意外と緑の多い風景が広がっている。ちいさな個室で、毎日ぼくはきみのそばにいた。

緊張の糸が切れてしまったのだろうか、きみは病院にはいると無口になった。あまり身体も動かさない。ただ視線だけが、熱心に窓の外で輝く冬の雲や大学のテキストを読むぼくを追っているのだ。

あれは十二月のなかばだった。なにかが完全に終わってしまったとわかる日は、いつだって穏やかに晴れたなんでもない普通の一日である。ぼくは三時限目の経営学を終えて、きみの病室に顔をだした。新宿の地下街の花屋で買った花をいつものようにもっていく。あの日は確かピンク色のミニバラだったと思う。

ぼくはきみを驚かさないように、そっと開いた戸口のわきをノックして声をかけた。

「今日の調子はどう」

きみは車椅子に座って、窓の外を見ていた。かすかに夕日の色を塗った雲を背に、ゆっくりと振り返る。濁った目がぼんやりとぼくをとらえた。

「こっちは、つまらない講義だった」

不思議そうな顔で、ぼくを見ている。曇りガラスでもはめこんだような暗い目だ。ちいさな花束をさげて、ゆっくりと窓辺に近づいていった。

「どうしたの」

きみは車椅子のうえでのけぞるように震えだした。背もたれに身体を押しつけて、ぼくを避けようとする。きみのまえにひざまずいて、視線の高さを同じにした。

「美丘、ぼくがわからなくなったのか」

震える肩に手をかけてしまった。君の細い身体は緊張のあまり硬直していた。あせっていたので、ぼくの腕にもつい力がはいってしまう。

「ぼくだ、太一だよ。きみと暮らしてる太一だ」

きみの肩を揺さぶった。ぼくはパニック状態だった。いくら症状がすすんでも、まさか毎日顔をあわせているぼくのことを忘れるはずがない。単純にそう信じこんでいたのだ。きみのほうこそ、恐ろしくてたまらなかったのだろう。見知らぬ男に肩をつかまれ、全身を揺すられていたのだから。きみはひーひーと細い悲鳴を漏らしていた。

つぎの瞬間、きみが着ていたパジャマのまえが黒く濡《ぬ》れた。きみのなかから流れだした水が車椅子の座面をあふれ、床に水たまりをつくっていく。きみは首を横に振るだけだった。ぼくは肩から手を放していった。

「だいじょうぶ、だいじょうぶ」

立ちあがり、個室にあるロッカーからタオルをもってくる。床にひざをついて、きみの小便をタオルでふいた。ぼくはきみから見えないように顔を伏せて、タイルの床にいくつも涙をこぼした。頭のうえから、淋しい声がふってくる。

「太一くん、わたし……」

顔をあげると、きみの目に光りがもどっていた。

「自分が、誰か。太一くんが、誰か、わからなく、なってた」

しばらく泣き顔を見せたことはなかったのに、目があってしまった。

「怖いよ、わたし、いなく、なる、怖いよ、いなく、なる、いなく、なる、わたし、いない、いない」

車椅子のうえで抱きあって、ぼくたちは声を殺して泣いた。誰に助けを求めても、もう無駄なのだ。きみはもうすぐいなくなるんだ。そう考えると、涙はいくらでもあふれてくる。しばらくして、きみはいった。

「今日は、帰って。白リンゴ、もって、帰って」

白リンゴは渋谷のディスカウントショップで買ったｉＰｏｄのことだ。ぼくはうなずいた。きみの着替えを手伝いたかったけれど、きっと嫌がるだろう。ぼくは白いプレーヤーをさげて、ナースステーションに看護師を呼びにむかった。

新宿の空を流れているのは、冷たく燃える冬の夕雲だった。きみのことを考えるたびに涙がにじむことがあるので、色の濃いサングラスは必需品だ。ぼくは黒いメガネをかけて、超高層ビルの足元をでたらめに歩きまわった。メトロにのる気分でも、まっすぐ部屋に帰る気分でもなかったのだ。

　イヤホンをしてｉＰｏｄを再生モードにしてみる。息づかいまで感じられるきみの声が、耳元にあふれた。

「えー、これで、いいのかな。太一くん、きいてますか」

　まだ言葉が今のように不自由になるまえのなめらかな声だ。その部分だけ何千回でもリプレイしてききたくなるほどなつかしいきみの声。

「わたしと初めて会ったとき、覚えてる？　大学の屋上庭園でフェンスをのり越えたとき。わたし、あのときほんとに死んじゃおうかなって、思っていたんだ。なにもかもめんどくさいな。いつ病気がでるかわからなくて、毎日不安で生きてるなんて、ぜんぜんおもしろくないなあ。ぴょんと跳べば、楽になれるのかなって。これ、ちゃんと録《と》れてるのかな」

　仕事帰りのサラリーマンや若いカップルが、新宿駅めざして川のように流れていた。ぼくはひとり駅から遠ざかるように逆流していく。口のなかでつぶやいた。

「ちゃんときこえてるよ、美丘」

きみの声は弾むようだった。ぼくはサングラスをかけたまま、泣きながら笑った。

「あれこれ考えるの嫌になったから、いっちゃえ。そう思ったときに、太一くんがいきなりあらわれた。髪の毛なんか、さらさらしちゃってさ。きみは自殺なんてするつもりないんだよね、だって。笑っちゃうよ。ばりばりにそうするつもりだったんだから。でも、いっしょに二十二階の空のはしっこに立ったときには、ほんとに太一くんが天使に見えたんだ。ああ、この人がわたしを救ってくれるんだ。生きているのも、そう悪くないかもって」

新宿中央公園に着いた。十二月のベンチに腰をおろす。きみのいる病院の先端だけ、西日のなかにのぞいていた。

「思い出話は、まあいいや。それより、わたしとの約束、覚えてる？　夜明けの約束だよ。越後湯沢のロックフェス。あのときの約束を、ほんとに守ってもらいたいんだ。わたしがわたしでなくなったら、太一くんの手で終わりにしてほしい。頭が空っぽになって、身体だけで生きているなんて、絶対に嫌。あのときの言葉は、本心だから。わたしは自分が生きてきたように死にたい」

頭をなぐりつけられたようだった。ぼくはたいへんな約束をしていたのだ。きみがきみでなくなる時間。そのときが目のまえに迫っている。

「約束だよ。絶対に守ってね。わたしはこんなに真剣に誰かになにかを頼んだことなんてないんだからね。かわいい女の子が、死ぬまえに最後のお願いをしたんだから、守らなきゃ男じゃない。わたしの大好きな太一くんじゃないよ」

きみは耳に息がかかるような声で、ふふふと笑った。ぼくの全身に鳥肌が立った。空は落ちていく太陽のせいで、鮮やかに燃えていた。ぼくはベンチで硬直したまま、そのまま何時間もきみの声をきいていた。それでも全部はとてもきくことはできなかった。

きみの録音は軽く二十時間を超えていたのである。その夜は終電の一本まえのメトロにのって、きみのいなくなったワンルームに帰った。

42

暗い階段をおりていくように、きみの症状は悪くなっていった。

ぼくが誰かわからなくなったあの日から数日後、きみはベッドから起きあがれなくなった。動くのは右手と首からうえだけである。言葉は極端に切り詰められ、たまに発するのは単語だけになってしまった。なにか必要なものはないかときくと、きみは視線とまぶたでこたえるのだ。イエスなら一度目を閉じて開く。ノーなら眼球をゆっくりと左右させる。

きみのお母さんとお姉さんと交代で看護しながら、ぼくはきみがきみでなくなる時間を待っていた。そのときぼくはいったいなにをするのだろう。自分でも決心がつかないまま、きみの足をさすったり、手をにぎったりしていた。

最後の頼みの綱だったきみの右手が動かなくなった日をぼくは覚えている。それは同時にきみから言葉が奪われてしまった日だ。ぼくはベッドの横に座り、さっぱり内容が頭にはいらない週刊誌を眺めていた。自動販売機のコーヒーでも買いにいこうかと思い、きみの手を放した。病室にいるあいだは手をつないでいる。それが習慣になっていたのだ。

開いた戸口に立ち、病室を振り返った。細い指先がだらりとベッドから垂れていた。濡れたタオルのように力が抜けた手。いつもならゆっくりとだが、ベッドにもどしていた手がそのままになっている。ぼくはあわててベッドサイドにもどった。

「美丘、手はどうしたの」

右手は力なく伸ばされている。震えてさえいなかった。きみの顔をのぞきこんだ。きみは天井をむいて、目尻《めじり》から耳のほうに涙の筋をつけていた。怖くてたまらなかったが、ゆっくりという。

「動かなくなったの」

きみのまぶたが一回だけ閉じた。あわせて涙がもうひとしずく、流れていく。ぼくはひざをついてきみの手をとった。あたたかな手に頬をつける。またきみといっしょに泣いた。動かなくなった手のためにしばらく泣いてから、きみの右手をベッドにもどし、ぼくは病室をでた。

クリスマスにむかって、きみの体調は急激に悪化していった。身体に指令をだす脳の力が消えていくと、息をすることやたべものをのみこむことさえむずかしくなっていくのだった。きみは上半身を軽く起こしたベッドのうえに横たわり、ただ天井を見ているだけになってしまった。意思表示はなんとか視線とまばたきで可能なくらい。それさえきみの目から光りが消えてしまっているあいだは、むずかしくなった。まだら模様の嵐の空。意識のスイッチが風まかせに気まぐれにオンオフされる、あの状態になったのだ。ぼくはきみの目に光りがあるときは、なんでもいいからなにか言葉をかけ、きみの目の光りが消えているときはいっしょに沈んでいた。

週末にクリスマスイブを控えた十二月二十三日、その日はめずらしくきみのお母さんとお姉さんの美玲さんがそろっていた。あとからお父さんもくるという。ぼくたちは暗い話や病気の話は一切しなかった。きみの目は明るく光っている。きみはまだきみのままなのだ。ぼくたちが話していることが、きこえている証拠に、三人で笑っているときにきみはタイミングをあわせてまばたきをしていた。

「大学のほうはどんな様子」

きみのお母さんがぼくにきいたときだった。おかしな声がベッドから漏れている。

「ちょっと、美丘がなにかいおうとしてる。静かにして」

美玲さんがベッドのうえに身体をのりだした。きみの口元に耳を寄せている。

「やー、やー、やー」

きみの口を読みながら、彼女はそういった。

「やー、くー、くー、そー」

美玲さんが顔を輝かせた。髪をかきあげて、ぼくとお母さんを見る。

「約束だって。ねえ、美丘、約束をどうしたいの。守ってもらいたいの」

きみはベッドのうえで、まばたきした。お母さんがいった。

「おかしいわね、わたしはなにも約束なんてしてないんだけど。太一くんは、美丘と約束したことがあるの」

ふたりの視線がぼくに集まった。息をのんでしまう。ぼくはきみの鼻のしたにとめられた酸素を供給する透明なチューブを見た。ベッドの左側にはたっぷりと栄養の溶かしこまれた点滴のスタンドがある。呼吸と栄養の補助。このふたつのせいで、きみはかろうじて生をこの世界につないでいたのだ。ぼくは返事に困った。きみとの約束は確かに約束だ。けれども、大切な娘や妹を家族から奪ってしまっていいのだろうか。

「なんだろう、約束なんてした覚えはないんだけど」

不誠実なぼくの声はかすれていた。きみは左右に眼球を振って、ノーという。また美玲さんがきみのうえにかがみこむ。

「やー、やー……、それならもうわかってるよ、美丘。約束なんでしょう」

ぼくは狭い病院の個室に、きみときみの家族とともにいるのに耐えられなくなった。部屋をでるとき、きみのお母さんとお姉さんに深々と頭をさげる。

「どうしたの、太一くん。うちのお父さんも太一くんに会いたがっていたのに」

美玲さんの言葉を背中にききながらいった。

「勉強があるから、今日はこれで失礼します」

なにかを断ち切るように、ぼくはきみの病室を離れた。


帰り道、きみの言葉が頭を離れなかった。約束、約束、約束。デイパックからｉＰｏｄをとりだし、イヤホンをつける。きみの声をもう一度きくために、円い操作盤をシャトルした。わたしがわたしでなくなったら、太一くんの手で終わりにしてほしい。かわいい女の子が、死ぬまえに最後のお願いをしたんだから、守らなきゃわたしの大好きな太一くんじゃないよ。

きみは寝たきりになっても、ぼくのことを信じていたのだ。それなのに、ぼくにはきみの約束を守るだけの勇気がない。きみの声がメトロに揺られるぼくの耳に流れこんだ。

「それからさ、まえにもいったけど太一くんはもっと自由になったほうがいいんだよ。いつもまわりに無理やりあわせてるでしょう。そういうのやめちゃえば。もっと自由になって、自分らしくなって、わたしの分までいきいきと生きちゃいなよ。パンクが好きなら、髪の毛を真っ赤に染めて、つんつんに立てればいいじゃない。せっかくの学生生活なんだから、はじけなくちゃもったいないよ」

表参道駅が近づいてきた。レールの継ぎ目でジュラルミンの車体が揺れるたびに、ぼくの心のなかで決心が固まっていく。約束を守らなきゃいけない。あれはきみとぼくが命がけでした約束なのだ。

地上につうじる階段をｉＰｏｄをききながらのぼった。冬の空が参道の裸のケヤキ並木のうえに澄んでいる。サングラス越しにその青を見ているだけで、目に涙がにじんだ。ぼくは交差点の角に立ちどまり、携帯電話を開いた。いきつけのカットハウスを選択し、明日の朝一番の予約をいれる。気が変わらないうちに、動き続けるんだ。ぼくはきみとの最後のクリスマスイブを用意するために、足早に部屋に帰った。

43

イブの朝はよく晴れて、ひどく寒かった。空はむこうの透けて見える冬の雲を浮かべているだけだ。ぼくはとっておきの黒いスーツをクローゼットからだして、身につけた。ウエストも太ももつまめないくらい細いシャープなカットである。

シャツは白で、ひものように細いネクタイは黒。前日のうちに磨いておいた黒の革靴をはいて街にでる。青山の裏町には、いくらでも美容院があったのだ。そのうちのひとつが、きみとぼくがときにいっしょに並んで髪を切ったことのある店だった。

コンクリートの打ち放しの建物にはいると、チーフが出迎えてくれた。

「あら久しぶり、太一くん。ちょっと髪の毛、伸びたね。今日は美丘さんといっしょじゃないの」

パールブルーのシャツの胸をはだけたチーフがほんもののゲイなのか、ぼくときみはよく話しあったものだ。美容関係には商売オカマの数も多い。カットハウスのなかは、なにもかも真っ白だった。白い大理石の床、白い革の椅子、壁のクロスも白で、額にいれて飾られたドローイングもほとんどの面積が白。鏡のなかで、ぼくの毛先をつまみながらチーフがいった。

「パーマがほとんどとれちゃってるみたい。もうすこし強くかけようか。今回はどうするの」

自分でも顔つきがこわばっているのがわかった。思い切っていう。

「ヘアカラーをしてください」

「へえ、めずらしい。どんな色がいいの」

「真っ赤に、それでスプレーでつんつんに立ててほしいんです」

「わたしが若いころの、パンクスみたい。あら、腕が鳴るわ。美丘さんにびっくりプレゼントをするのね」

チーフはヘアカラーの見本帳をとりにいってしまった。ぼくは鏡越しに、白い椅子に座る黒いスーツの若い男を見た。表情はない。これから誰かに最後のさよならをいうのは、こんな顔をした男なのだろう。ぼくは自分の顔を井戸の底でものぞきこむようにじっと見つめていた。

洗髪とカットに続いて、ヘアカラーが始まった。髪に短冊のようなプラスチック板をさげて二十分。ほかにやることがなかったので、ぼくはきみの声をきいていた。きみは機械のなかで無邪気に語り続ける。

最初に出会った屋上のこと。カフェテリアで頬を打たれた女同士の対決のこと。新しく加わったうちのグループのこと。ぼくが気になっていたけれど、自分にしてはめずらしく麻理に譲ったこと。男の前歯をプレースキックで粉砕した渋谷の夜。初めてキスをした湖のそばの別荘。

ぼくの目に涙が浮かんだ。真っ白なカットハウスのなかサングラスをかけた。鏡のなかの男はサングラスのしたで泣いていた。とぎれることなく涙を流し、録音された声をきいて微笑んだりするのだ。

きみの声は続く。麻理に頬を打たれた雨の午後のこと。ぼくと初めて抱きあった七月の暑い日のこと。そこでぼくの胸が痛いほど締めつけられた。初めてのセックスのあとで、きみは自分の病気のことを告白したのだ。それでもきみとつきあうといったぼくの言葉が、死ぬほどうれしかったこと。ふたりで見てまわった部屋。初めての同棲《どうせい》。きみの声は夢見るように語り続け、ぼくは泣きながら笑った。

そして、秋。

発症と失われていく自分。いくらわがままをいっても、そばにいるぼくがどれだけ助けになったか。きみは一度も口にしたことのない感謝の言葉を、白いプレーヤーにはこっそり吹きこんでいたのだ。ぼくはもうバカみたいに泣いていた。きっとあとで目が腫《は》れ、頭が痛くなることだろう。

最後の最後にきみはいう。

「わたしは太一くんと会えてほんとうによかった。言葉にしたら単純だけど、もうほかにうまくいうことなんてできないよ。むずかしいことといえないんだ。会えてよかった。すごくよかった。わたしがどんなにダメになっても、そばに太一くんがいてくれる。それだけで、こんな世界だってそう悪くないって、いつも思っていた。ありがとうね、大好きだよ。それでね……」

きみが泣いているのがわかった。しばらく深呼吸する音がきこえる。

「……それでね、やっぱり約束は守ってね。わたしがいなくなったら、わたしのことは忘れてね。誰かほかの人ときちんと恋をして、幸せになってね。わたしのことをひきずったら、いけないいよ。わたしがいくら魅力的な子だからって、一生ひとりじゃいけないよ」

iPodのバッテリーが切れかけているようだった。液晶の表示盤が暗くなっていた。

「最後に、どうもありがとう。わたし、峰岸美丘は橋本太一といっしょで、幸せでした。こんなにたくさんいい思い出をつくれるなんて、思ってなかった。太一くん、ありがとう。たいへんなことをお願いして、ごめんね。でも、わたし、待ってるから。あなたがきてくれるのを、ずっと待ってるから」

再生をとめて、機械をポケットに落とした。チーフがやってきて、髪の染まりぐあいを確かめる。ぼくはハンカチで涙をふいていたが、チーフは気づいたようだった。

「あら、クリスマスイブなのに失恋したの。それでこの真っ赤な髪かあ。わかった、うんとカッコよくなるように、腕を振るってあげる。クリスマスのあいだに新しい人、見つけちゃいなさい」

ぼくはかすれた声でありがとうといって、カットハウスの仕事が終わるのを待った。

レジで料金を払った。白い店の壁に張られた姿見に、燃えるような髪を逆立てた若い男が映っていた。礼をいい、店をでる。そのままメトロの駅にむかった。時刻は午後一時近く。

新宿の地下街で財布をはたいて、赤いバラの花束をつくってもらった。心がしびれているので、バラが美しいのかどうかわからなかった。ぼくは右手に花束をさげて、きみが待つ病院にむかった。一階のロビーで面会の受けつけをすませ、エレベーターで脳神経科の病室のある十四階にあがった。エレベーターのなかには点滴のスタンドをもって、院内を散歩している中年の女性がいた。ぼくのあたまとバラの花束。鮮やかな赤ふたつに驚きの目をむける。

扉が開くと、ソファの並んだホールが広がった。クリスマスイブの土曜日なので家族の面会で、どのソファセットも満席だった。ぼくは静かにゆっくりと歩いていく。すべてがスローモーションのように目に残った。

洗面所、自動販売機のコーナー、ナースステーション。とおりかかった看護師がぼくにうなずきかける。サングラスをかけたまま、うなずき返した。開いたままの戸口が見えた。プラスチックのプレートを確認する。

峰岸美丘。ぼくが愛して、これから約束を守りにむかう女性の名前だ。そのプレートを見た瞬間、ぼくはこのイニシャルをタトゥにして胸に刻もうと決心する。ドアのわきを軽くノックした。

「美丘、ぼくだよ。メリークリスマス」

それから、ぼくはきみのベッドに近づくだろう。きみの目をのぞきこみ、約束というだろう。きみは一度まばたきして、ぼくを勇気づけるだろう。酸素吸入のチューブに伸びる手が見える。点滴を引き抜く手も見える。どちらも見知らぬ男の手だ。

ぼくはきみが息をしなくなるまで、赤いバラの花束をおいたベッドのうえで、ずっときみを抱き締めているだろう。

ありがとう、美丘、ありがとう。

そして、さようなら。きみはずっとぼくの胸で生きる。

解説　「きみ」と「ぼく」の愛の最高の境地

小手鞠るい

ゆうべ、『美丘』を読み終えた。

たとえば、素晴らしい映画を見終えた時、どうしてもそれが終わってしまったことを受け入れたくなくて、あるいは、受け入れられなくて、未練がましくDVDを操作し、ラストシーンをもう一度、時には何度も見てしまったり、最後にあと一回だけ「冒頭だけ」、あるいは「あのシーンだけ」と思って見始めた、にもかかわらず、気がついたら夢中になって、また最後まで見てしまっていた――そんな経験、あなたにもきっと、身に覚えがあるでしょう？――『美丘』はまさに、そのような物語だった。

最後の一行にたどりついたあと、私はどうしてもこの本を閉じてしまうことができなかった。プロローグと、ラストシーンと、ラストにつづいていく場面を何度か読み返し、それから、恋人たちが初めて結ばれる七月にもどって読み、するとそのままページをめくる手を止められなくなって、とうとう最後まで読んでしまい、それなのにまだこの物語から離れることができない……

せつない。

せつないけれど、これほどまでに幸せな時間を、私は知らない。

確かに、身に覚えのある感情であり、感覚だと思った。そう、この物語と私は、まるで恋人同士のように、皮膚だけを隔てて、ぴったりと寄り添い、抱き合ったまま、離れることができないでいたのだった。

「皮膚」というのはつまり「言葉」ということ。文章、文体、語り口。『美丘』においてはそれは「声」と言ってもいいのかもしれない。

たとえば、悲しい別れが待っているとわかっていながら、太一が原始人となり、自分の身を削りながら輝く流星のような美丘の生命の記録者となり、ふたりでいっしょに生きようと決意する夏の、こんな言葉。

ぼくたちがみな一度きりの命を生きるように、快楽もつねに一度きりだ。ネットやメールがリアルタイムでふりまく膨大な情報に打たれていても、ぼくたちは恋愛においてはいつだって原始人なのである。人を愛するときめきに胸を震わせ、ふたりの秘密をつなげる快感に身体をしびれさせる。それは何度繰り返しても、新鮮さを失わない不思議な力だ。

たとえば、美丘の病状が悪化していく日々、心のなかで歯を食いしばり、涙をこらえて笑いながら、きりきりと澄んだ悲しみの音を聞きながら、それでも太一はこんな言葉を私たちに届けてくれる。

愛情なんて、別にむずかしいことではまったくない。相手の最期まで、ただいっしょにいればそれでいい。それだけで、愛の最高の境地に達しているのだ。ぼくたちはそれに気づかないから、いつまでも自分が人を愛せる人間かどうか不安に感じるだけなのである。

真夜中、やっとのことで本を閉じたあとにも、私の心の耳にあざやかに残っていた声。

わかるかな。ぼくの胸がきみの墓なのだ。この心臓が打ち続ける限り、きみはぼくの胸で眠るといい。ぼくは世界を旅して、きみにたくさんの景色を見せてあげよう。おいしいものをたくさんたべて、きみにもその味をわけてあげよう。おしゃれだってうんとして、毎年新しいモードをきみに見せてあげよう。今はできないけれど、いつか恋をしたら、男の胸の痛みとときめきを教えてあげよう。

決して、大きな声ではない。

「ぼく」は声高には語らない。その声はむしろ、囁《ささや》き、ため息、つぶやきにも近い。けれど、抱き合った恋人たちのあいだに存在するたがいの皮膚にも似て、それは強靭《きょうじん》で、確信に満ちている。そして、優しい。

『美丘』の最大の魅力は、優しくて強い、強くて優しい、この「ぼくの声」にあるのではないかと、私は思う。太一が美丘を思い、狂おしく彼女を抱きしめている――熱い皮膚だけを隔ててふたりがつながっている――時、私たちもまた「ぼくの声」を隔てて、『美丘』という物語と、この一冊の本と、抱き合っている。

あるいは、こうも言えるだろう。

「ぼく」が狂おしく「きみ」を求め、胸に抱きしめている時、私たちもまた「ぼく」の両腕に、しっかりと抱きしめられているのだ、と。もしかしたら「ぼく」とは、石田衣良さんの書くすべての作品に宿る「物語の神様」なのかもしれない。

さて、神は細部に宿るとはよく言ったもので、『美丘』には、魅力的な細部がまるで毛細血管のように、ページのすみずみまで張り巡らされている。

街、カフェ、ファッション、大学生活、音楽、料理、本、恋人たちを取り巻く友だちや家族。それらを活写する、大胆かつ繊細な表現。磨き込まれた言葉たち。こういったヴィヴィッドな細部については、書き始めるときりがなくなりそうなので、ここではあえて、ひとつだけ。

大学の前期試験の最終日に、まだ結ばれていない恋人たちの交わすこんな会話が、私は大好きだ。


「ねえ、太一くん、やろうよ。わたしのことなら気にしなくていいから、すぐにやっちゃおよ」

「ダメだ。美丘も女の子なんだから、やろうとかいうな」

そうして、これからいよいよ渋谷のラブホテルに行こうとしているその数時間前。

「腹ごしらえもダメなの。だいたい太一くんは、言葉づかいに厳しすぎるんだよ。やることはいっしょなのに」

「だから、やるとかいうな」

「はいはい」

こんな、何気ないふたりのやりとりのなかからも、私の耳にはやはり「物語の神様」の声が聞こえてくる。それは大地にあたたかく降り注ぐ雨のように、私の胸に染み通っていく。いつまでもこの雨に濡《ぬ》れ、この声に包まれていたいと思ってしまう。

だから、だろうか。

物語はあまりにも悲しく、残酷な結末を迎えるというのに、私は泣かなかった。心のなかには感動の涙があふれていて、まるで洪水のような状態だったのに、感傷の涙はひとつぶも流れなかった。

それから、静かに覚《さと》った。この作品に流れている、あまりにも力強い、希望と勇気に満ちあふれた「声」の余韻に包まれて。

本当に素晴らしい物語というのは、私たちを泣かせない。むしろ、目覚めさせる。覚醒させる。孤独にさせる。『美丘』は、号泣、共感、共鳴、「わかる、わかる、この気持ち」——そこからあともう一歩、先の世界まで、私たちを連れていってくれる。

活字のなかだけにある、豊かな孤独の世界へ。

物語とふたりきりで過ごす蜜月《みつげつ》へ。

愛の最高の境地へ。

目覚めたまま、今も「きみ」の夢を見ている「ぼく」と同じように、私も目覚めたまま、この物語のつづきを夢見ていたいと思う。

最後にひとつだけ、余談を。

この本を読み終えたのは、偶然、二〇〇八年のクリスマスイブでした。クリスマスイブは美丘の命日で、同時に、彼女が太一の胸のなかで新たな命を得た日です。私がこの解説を書いたのは、十二月二十五日。小説を書いたり、読んだりしていると、時々こういった不思議な出来事が起こります。小説のなかにはやっぱり、神様が宿っているのだなぁと思います。

本書は二〇〇六年十月、小社より単行本として刊行されたものです。

また、本作品はフィクションであり、登場人物や団体などは実在するものと一切関係ありません。

作中の病気については、経過や経緯、症状等、実際とは異なる場合があります。(編集部)

美《み》丘《おか》

石《いし》田《だ》衣《い》良《ら》

平成21年 2月25日 初版発行
令和5年 6月30日 31版発行

発行者●山下直久

発行●株式会社KADOKAWA
〒102-8177 東京都千代田区富士見2-13-3
電話 0570-002-301(ナビダイヤル)

角川文庫 15556

印刷所●株式会社KADOKAWA
製本所●株式会社KADOKAWA

表紙画●和田三造

●お問い合わせ
https://www.kadokawa.co.jp/ (「お問い合わせ」へお進みください)
※内容によっては、お答えできない場合があります。
※サポートは日本国内のみとさせていただきます。
※Japanese text only

ISBN978-4-04-385402-8 C0193

角川文庫発刊に際して

角川源義

第二次世界大戦の敗北は、軍事力の敗北であった以上に、私たちの若い文化力の敗退であった。私たちの文化が戦争に対して如何に無力であり、単なるあだ花に過ぎなかったかを、私たちは身を以て体験し痛感した。西洋近代文化の摂取にとって、明治以後八十年の歳月は決して短かすぎたとは言えない。にもかかわらず、近代文化の伝統を確立し、自由な批判と柔軟な良識に富む文化層として自らを形成することに私たちは失敗して来た。そしてこれは、各層への文化の普及滲透を任務とする出版人の責任でもあった。

一九四五年以来、私たちは再び振出しに戻り、第一歩から踏み出すことを余儀なくされた。これは大きな不幸ではあるが、反面、これまでの混沌・未熟・歪曲の中にあった我が国の文化に秩序と確たる基礎を齎らすためには絶好の機会でもある。角川書店は、このような祖国の文化的危機にあたり、微力をも顧みず再建の礎石たるべき抱負と決意とをもって出発したが、ここに創立以来の念願を果すべく角川文庫を発刊する。これまで刊行されたあらゆる全集叢書文庫類の長所と短所とを検討し、古今東西の不朽の典籍を、良心的編集のもとに、廉価に、そして書架にふさわしい美本として、多くのひとびとに提供しようとする。しかし私たちは徒らに百科全書的な知識のジレッタントを作ることを目的とせず、あくまで祖国の文化に秩序と再建への道を示し、この文庫を角川書店の栄ある事業として、今後永久に継続発展せしめ、学芸と教養との殿堂として大成せんことを期したい。多くの読書子の愛情ある忠言と支持とによって、この希望と抱負とを完遂せしめられんことを願う。

一九四九年五月三日

角川文庫ベストセラー

約束　石田衣良

池田小学校事件の衝撃から一気呵成に書き上げた表題作はじめ、ささやかで力強い回復・再生の物語を描いた必涙の短編集。人生の道程は時としてあまりにもハードだけど、もういちど歩きだす勇気を、この一冊で。

美丘　石田衣良

美丘、きみは流れ星のように自分を削り輝き続けた……平凡な大学生活を送っていた太一の前に現れた問題児。障害を越え結ばれたとき、太一は衝撃の事実を知る。著者渾身の涙のラブ・ストーリー。

5年3組リョウタ組　石田衣良

茶髪にネックレス、涙もろくてまっすぐな、教師生活4年目のリョウタ先生。ちょっと古風な25歳の熱血教師の一年間をみずみずしく描く、新たな青春・教育小説！

白黒つけます!!　石田衣良

恋しなくなったのは男のせい？　それとも……恋愛、教育、社会問題など解決のつかない身近な難問題に人気作家が挑む！　毎日新聞連載で20万人が参加した人気痛快コラム、待望の文庫化！

TROISトロワ　恋は三では割りきれない　石田衣良　佐藤江梨子　唯川恵

新進気鋭の作詞家・遠山響樹は、年上の女性実業家・浅木季理子と8年の付き合いを続けながら、ダイヤモンドの原石のような歌手・エリカと恋に落ちてしまった……愛欲と官能に満ちた奇跡の恋愛小説！

角川文庫ベストセラー

恋は、あなたのすべてじゃない　石田衣良

"自分をそんなに責めなくてもいい。生きることを楽しみながら、恋や仕事で少しずつ前進していけばいい"——思い詰めた気持ちをふっと軽くして、よりよい女になる為のヒントを差し出す恋愛指南本！

再生　石田衣良

平凡でつまらないと思っていた康彦の人生は、妻の死で急変。喪失感から抜けだせずにいたある日、康彦のもとを訪ねてきたのは……身近な人との絆を再発見し、ふたたび前を向いて歩き出すまでを描く感動作！

親指の恋人　石田衣良

純粋な愛をはぐくむ2人に、現実という障壁が冷酷に立ちふさがる——すぐそばにあるリアルな恋愛を、格差社会とからめ、名手ならではの味つけで描いた恋愛小説の新たなスタンダードの誕生！

ラブソファに、ひとり　石田衣良

予期せぬときにふと落ちる恋の感覚、加速度をつけて誰かに惹かれていく目が覚めるようなよろこび。臆病の殻を一枚脱ぎ捨て、あなたもきっと、恋に踏みだしたくなる——。当代一の名手が紡ぐ極上恋愛短篇集！

マタニティ・グレイ　石田衣良

小さな出版社で働く千花子は、予定外の妊娠で人生の大きな変更を迫られる。戸惑いながらも出産を決意したが、切迫流産で入院になり……妊娠を機に、自分の生き方を、夫婦や親との関係を、洗い直していく。

角川文庫ベストセラー

ひと粒の宇宙 全30篇　石田衣良他

芥川賞から直木賞、新鋭から老練まで、現代文学の第一線級の作家30人が、それぞれのヴォイスで物語のひだを情感ゆたかに謳いあげる、この上なく贅沢な掌篇小説のアンソロジー！

泣かない子供　江國香織

子供から少女へ、少女から女へ……時を飛び越えて浮かんでは留まる遠近の記憶、あやふやに揺れる季節の中でも変わらぬ周囲へのまなざし。こだわりの時間を柔らかに、せつなく描いたエッセイ集。

夜明けの縁をさ迷う人々　小川洋子

静かで硬質な筆致のなかに、冴え冴えとした官能性やフェティシズム、そして深い喪失感がただよう――。小川洋子の粋がつまった粒ぞろいの佳品を収録する極上のナイン・ストーリーズ！

パイロットフィッシュ　大崎善生

かつての恋人から19年ぶりにかかってきた一本の電話。アダルト雑誌の編集長を務める山崎がこれまでに出会い、印象的な言葉を残して去っていった人々を追想しながら、優しさの限りない力を描いた青春小説。

愛がなんだ　角田光代

OLのテルコはマモちゃんにベタ惚れだ。彼から電話があれば仕事中に長電話、デートとなれば即退社。全てがマモちゃん最優先で会社もクビ寸前。濃密な筆致で綴られる、全力疾走片思い小説。

角川文庫ベストセラー

クローバー　島本理生

強引で女子力全開の華子と人生流され気味の理系男子・冬治。双子の前にめげない求愛者と微妙にズレてる才女が現れた！　でこぼこ4人の賑やかな恋と日常。キュートで切ない青春恋愛小説。

墓頭《ボズ》　真藤順丈

双子の片割れの死体が埋まったこぶを頭に持ち、周りの人間を死に追いやる宿命を背負った男——ボズ。香港九龍城、カンボジア内戦など、底なしの孤独と絶望をひきずって、戦後アジアを生きた男の壮大な一代記。

ツ、イ、ラ、ク　姫野カオルコ

森本隼子。地方の小さな町で彼に出逢った。ただ、出逢っただけだった。雨の日の、小さな事件が起きるまでは——。渾身の思いを込めて恋の極みを描ききった、最強の恋愛文学。恋とは「堕ちる」もの。

ロマンス小説の七日間　三浦しをん

海外ロマンス小説の翻訳を生業とするあかりは、現実にはさえない彼氏と半同棲中の27歳。そんな中ヒストリカル・ロマンス小説の翻訳を引き受ける。最初は内容と現実とのギャップにめまいものだったが……。

DIVE《ダイブ》!!（上）（下）　森絵都

高さ10メートルから時速60キロで飛び込み、技の正確さと美しさを競うダイビング。赤字経営のクラブ存続の条件はなんとオリンピック出場だった。少年たちの長く熱い夏が始まる。小学館児童出版文化賞受賞作。

角川文庫ベストセラー

夜は短し歩けよ乙女　森見登美彦

黒髪の乙女にひそかに想いを寄せる先輩は、京都のいたるところで彼女の姿を追い求めた。二人を待ち受ける珍事件の数々、そして運命の大転回。山本周五郎賞受賞、本屋大賞2位、恋愛ファンタジーの大傑作！

なぎさ　山本文緒

故郷を飛び出し、静かに暮らす同窓生夫婦。夫は毎日妻の弁当を食べ、出社せず釣り三昧。行動を共にする後輩は、勤め先がブラック企業だと気づいていた。家事だけが取り柄の妻は、妹に誘われカフェを始めるが。

氷菓　米澤穂信

「何事にも積極的に関わらない」がモットーの折木奉太郎だったが、古典部の仲間に依頼され、日常に潜む不思議な謎を次々と解き明かしていくことに。角川学園小説大賞出身、期待の俊英、清冽なデビュー作！

女たちは二度遊ぶ　吉田修一

何もしない女、だらしない女、気前のいい女、よく泣く女……人生の中で繰り返す、出会いと別れ。ときに苦く、哀しい現代の男女を実力派の著者がリアルに描く短編集。

パロール・ジュレと魔法の冒険　吉田篤弘

言葉が凍って結晶化するという不思議な現象を巡り、各国の諜報員たちが暗躍。紙魚となって古書に潜入したフィッシュ、彼を追う辣腕刑事、四人の解凍士、美しき義眼の女……壮大なマジカル・ファンタジー！